CAIM

Obras do autor publicadas pela Companhia das Letras

Alabardas, alabardas, espingardas, espingardas
O ano da morte de Ricardo Reis
O ano de 1993
A bagagem do viajante
O Caderno
Cadernos de Lanzarote
Cadernos de Lanzarote II
Caim
A caverna
Claraboia
O conto da ilha desconhecida
Don Giovanni ou o dissoluto absorvido
Ensaio sobre a cegueira
Ensaio sobre a lucidez
O Evangelho segundo Jesus Cristo
História do cerco de Lisboa
O homem duplicado
In Nomine Dei
As intermitências da morte
A jangada de pedra
Levantado do chão
A maior flor do mundo
Manual de pintura e caligrafia
Memorial do Convento
Objecto quase
As palavras de Saramago (org. Fernando Gómez Aguilera)
As pequenas memórias
Que farei com este livro?
O silêncio da água
Todos os nomes
Viagem a Portugal
A viagem do elefante

JOSÉ SARAMAGO

CAIM
Romance

2ª edição
9ª reimpressão

PRÊMIO NOBEL
COMPANHIA DAS LETRAS

Copyright © 2009 by José Saramago

Capa
Adaptada de *Silvadesigners*,
autorizada por *Porto Editora S.A.* e
Fundação José Saramago

Caligrafia da capa
Milton Hatoum

Por desejo do autor foi mantida a ortografia vigente em Portugal

Revisão
Isabel Jorge Cury
Carmen S. da Costa

Dados Internacionais de Catalogação na Publicação (CIP)
(Câmara Brasileira do Livro, SP, Brasil)

Saramago, José — 1922-2010
Caim : romance / José Saramago. — 2ª ed. — São Paulo: Companhia das Letras, 2017.

ISBN 978-85-359-3032-0

1. Romance português I. Título.

09-08670   CDD-869.3

Índice para catálogo sistemático:
1. Romances : Literatura portuguesa   869.3

Todos os direitos desta edição reservados à
EDITORA SCHWARCZ S.A.
Rua Bandeira Paulista 702 cj. 32
04532-002 — São Paulo — SP
Telefone: (11) 3707-3500
www.companhiadasletras.com.br
www.blogdacompanhia.com.br
facebook.com/companhiadasletras
instagram.com/companhiadasletras
twitter.com/cialetras

A Pilar, como se dissesse água

Pela fé, Abel ofereceu a Deus um sacrifício melhor do que o de Caim. Por causa da sua fé, Deus considerou-o seu amigo e aceitou com agrado as suas ofertas. E é pela fé que Abel, embora tenha morrido, ainda fala.

(Hebreus, 11, 4)
LIVRO DOS DISPARATES

1

Quando o senhor, também conhecido como deus, se apercebeu de que a adão e eva, perfeitos em tudo o que apresentavam à vista, não lhes saía uma palavra da boca nem emitiam ao menos um simples som primário que fosse, teve de ficar irritado consigo mesmo, uma vez que não havia mais ninguém no jardim do éden a quem pudesse responsabilizar pela gravíssima falta, quando os outros animais, produtos, todos eles, tal como os dois humanos, do faça-se divino, uns por meio de mugidos e rugidos, outros por roncos, chilreios, assobios e cacarejos, desfrutavam já de voz própria. Num acesso de ira, surpreendente em quem tudo poderia ter solucionado com outro rápido fiat, correu para o casal e, um após outro, sem contemplações, sem meias-medidas, enfiou-lhes a língua pela garganta abaixo. Dos escritos em que, ao longo dos tempos, vieram sendo consignados um pouco ao acaso os acontecimentos destas remotas épocas, quer de possível certificação canónica futura ou fruto de imaginações apócrifas e irremediavelmente heréticas, não se aclara a dúvida sobre que língua terá sido aquela, se o músculo flexível e húmido que se mexe e remexe na cavidade bucal e às vezes fora dela, ou a fala, também chamada idioma, de que o senhor lamentavelmente se havia esquecido e que ignoramos qual fosse, uma vez que dela não ficou o menor vestígio, nem ao menos um coração gravado na casca de uma árvore com uma legenda sentimental, qualquer coisa no género amo-te, eva. Como uma coisa, em princípio, não deveria ir sem a outra, é provável que um outro objectivo do violento empurrão dado pelo senhor às mudas línguas dos seus rebentos fosse pô-las em contacto com os mais profundos interiores do ser corporal, as chamadas incomodidades do ser, para que, no porvir, já com algum conhecimento de causa, pudessem falar da sua escura e labiríntica confusão a cuja janela, a boca, já começavam elas a assomar. Tudo pode ser. Evidentemente, por um escrúpulo de bom artífice que só lhe ficava bem, além de compensar com a devida humildade a anterior negligência, o senhor quis comprovar que o seu erro havia sido corrigido, e assim perguntou a adão, Tu, como te chamas, e o homem respondeu, Sou adão, teu primogénito, senhor. Depois, o criador virou-se para a mulher, E tu, como te chamas tu, Sou eva, senhor, a primeira dama, respondeu ela desnecessariamente, uma vez que não havia outra. Deu-se o senhor por satisfeito, despediu-se com um paternal

Até logo, e foi à sua vida. Então, pela primeira vez, adão disse para eva, Vamos para a cama.

Set, o filho terceiro da família, só virá ao mundo cento e trinta anos depois, não porque a gravidez materna precisasse de tanto tempo para rematar a fabricação de um novo descendente, mas porque as gónadas do pai e da mãe, os testículos e o útero respectivamente, haviam tardado mais de um século a amadurecer e a desenvolver suficiente potência generativa. Há que dizer aos apressados que o fiat foi uma vez e nunca mais, que um homem e uma mulher não são máquinas de encher chouriços, as hormonas são coisa muito complicada, não se produzem assim do pé para a mão, não se encontram nas farmácias nem nos supermercados, há que dar tempo ao tempo. Antes de set tinham vindo ao mundo, com escassa diferença de tempo entre eles, primeiro caim e depois abel. O que não pode ser deixado sem imediata referência é o profundo aborrecimento que foram tantos anos sem vizinhos, sem distracções, sem uma criança gatinhando entre a cozinha e o salão, sem outras visitas que as do senhor, e mesmo essas pouquíssimas e breves, espaçadas por longos períodos de ausência, dez, quinze, vinte, cinquenta anos, imaginamos que pouco haverá faltado para que os solitários ocupantes do paraíso terrestre se vissem a si mesmos como uns pobres órfãos abandonados na floresta do universo, ainda que não tivessem sido capazes de explicar o que fosse isso de órfãos e abandonos. É verdade que dia sim, dia não, e este não com altíssima frequência também sim, adão dizia a eva, Vamos para a cama, mas a rotina conjugal, agravada, no caso destes dois, pela nula variedade nas posturas por falta de experiência, já então se demonstrou tão destrutiva como uma invasão de carunchos a roer a trave da casa. Por fora, salvo alguns pozinhos que vão escorrendo aqui e ali de minúsculos orifícios, o atentado mal se percebe, mas lá por dentro a procissão é outra, não tardará muito que venha por aí abaixo o que tão firme havia parecido. Em situações como esta, há quem defenda que o nascimento de um filho pode ter efeitos reanimadores, senão da libido, que é obra de químicas muito mais complexas que aprender a mudar uma fralda, ao menos dos sentimentos, o que, reconheça-se, já não é pequeno ganho. Quanto ao senhor e às suas esporádicas visitas, a primeira foi para ver se adão e eva haviam tido problemas com a instalação doméstica, a segunda para saber se tinham beneficiado alguma coisa da experiência da vida campestre e a terceira para avisar que tão cedo não esperava voltar, pois tinha de fazer a ronda pelos outros paraísos existentes no espaço celeste. De facto, só viria a aparecer muito mais tarde, em data de que não ficou registo, para expulsar o infeliz casal do jardim do éden pelo crime nefando de terem comido do fruto da árvore do conhecimento do bem e do mal. Este episódio, que deu origem à primeira definição de um até aí ignorado pecado original, nunca ficou bem explicado. Em primeiro lugar, mesmo a inteligência mais rudimentar não teria qualquer dificuldade em compreender que estar informado sempre será preferível a desconhecer, mormente em matérias tão delicadas como são estas do bem e do mal, nas quais qualquer um se arrisca, sem dar por isso, a uma condenação eterna num inferno que então ainda estava por inventar. Em segundo lugar, brada aos céus a imprevidência do senhor, que se realmente não queria que lhe comessem do tal fruto, remédio fácil teria, bastaria não ter plantado a árvore, ou ir pô-la noutro sítio, ou rodeá-la por uma cerca de arame farpado. E, em terceiro lugar, não foi por terem desobedecido à ordem de deus que adão e eva descobriram que estavam nus. Nuzinhos, em pelota estreme, já eles andavam quando iam para a cama, e se o senhor nunca havia reparado em tão evidente falta de pudor, a culpa era da sua cegueira de progenitor, a tal, pelos vistos incurável, que nos impede de ver que os nossos filhos, no fim de contas, são tão bons ou tão maus como os demais.

Ponto de ordem à mesa. Antes de prosseguirmos com esta instrutiva e definitiva história de caim a que, com nunca visto atrevimento, metemos ombros, talvez seja aconselhável, para que o leitor não se veja confundido por segunda vez com anacrónicos pesos e medidas, introduzir algum critério na cronologia dos acontecimentos. Assim faremos, pois, começando por esclarecer alguma maliciosa dúvida por aí levantada sobre se adão ainda seria competente para fazer um filho aos cento e trinta anos de idade. À primeira vista, não, se nos ativermos apenas aos índices de fertilidade dos tempos modernos, mas esses cento e trinta anos, naquela infância do mundo, pouco mais teriam representado que uma simples e vigorosa adolescência que até o mais precoce dos casanovas desejaria para si. Além disso, convém lembrar que adão viveu até aos novecentos e trinta anos, pouco lhe faltando, portanto, para morrer afogado no dilúvio universal, pois finou-se em dias da vida de lamec, o pai de noé, futuro construtor da arca. Logo, teve tempo e vagar para fazer os filhos que fez e muitos mais se estivesse para aí virado. Como já dissemos, o segundo, o que viria depois de caim, foi abel, um moço aloirado, de boa figura, que, depois de ter sido objecto das melhores provas de estima do senhor, acabou da pior forma. Ao terceiro, como também ficou dito, chamaram-lhe set, mas esse não entrará na narrativa que vamos compondo passo a passo com melindres de historiador, por isso aqui o deixamos, só um nome e nada mais. Há quem afirme que foi na cabeça dele que nasceu a ideia de criar uma religião, mas desses delicados assuntos já nos ocupámos avonde no passado, com recriminável ligeireza na opinião de alguns peritos, e em termos que muito provavelmente só virão a prejudicar-nos nas alegações do juízo final quando, quer por excesso quer por defeito, todas as almas forem condenadas. Agora somente nos interessa a família de que o papá adão é cabeça, e que má cabeça foi ela, pois não vemos como chamar-lhe doutra maneira, já que bastou trazer-lhe a mulher o proibido fruto do conhecimento do bem e do mal para que o inconsequente primeiro dos patriarcas, depois de se fazer rogado, em verdade mais por comprazer consigo mesmo que por real convicção, se tivesse engasgado com ele, deixando-nos a nós, homens, para sempre marcados por esse irritante pedaço de maçã que não sobe nem desce. Também não falta quem diga que se adão não chegou a engolir de todo o fruto fatal foi porque o senhor lhes apareceu de repente a querer saber o que se tinha passado ali. Já agora, e antes que se nos esqueça de vez ou o prosseguimento do relato venha a tornar inadequada, por tardia, a referência, revelaremos a visita sigilosa, meio clandestina, que o senhor fez ao jardim do éden numa cálida noite de verão. Como de costume, adão e eva dormiam nus, um ao lado do outro, sem tocar-se, imagem edificante mas enganadora da mais perfeita das inocências. Não despertaram eles e o senhor não os despertou. O que ali o tinha levado fora o propósito de emendar uma imperfeição de fabrico que, finalmente o percebera, desfeava seriamente as suas criaturas, e que era, imagine-se, a falta de um umbigo. A superfície esbranquiçada da pele dos seus bebés, que o suave sol do paraíso não conseguira tostar, mostrava-se demasiado nua, demasiado oferecida, de certo modo obscena, se a palavra já existisse então. Sem detença, não fossem eles acordar, deus estendeu o braço e, levemente, premiu com a ponta do dedo indicador o ventre de adão, logo fez um rápido movimento de rotação e o umbigo apareceu. A mesma operação, praticada a seguir em eva, deu resultados similares, ainda que com a importante diferença de o umbigo dela ter saído bastante melhorado no que toca a desenho, contornos e delicadeza de pregas. Foi esta a última vez que o senhor olhou uma obra sua e achou que estava bem. Cinquenta anos e um dia depois desta afortunada intervenção cirúrgica com a qual se iniciaria uma nova era na estética do corpo humano sob o lema consensual de que tudo nele é melhorável, deu-se a catástrofe. Anunciado por um estrondo de trovão, o senhor fez-se presente. Vinha trajado de maneira diferente da habitual, segundo aquilo que seria, talvez, a nova moda imperial do céu, com uma coroa tripla na cabeça e empunhando o ceptro como um cacete. Eu sou o senhor, gritou, eu sou aquele que é. O jardim do éden caiu em silêncio mortal, não se ouvia nem o zumbido de uma vespa, nem o ladrar de um cão, nem um pio de ave, nem um bramido de elefante. Apenas uma bandada de estorninhos que se havia acomodado numa oliveira frondosa que vinha dos tempos da fundação do jardim levantou voo num só impulso, e eram centenas, para não dizer milhares, que quase obscureceram o céu. Quem desobedeceu às minhas ordens, quem foi pelo fruto da minha árvore, perguntou deus, dirigindo directamente a adão um olhar coruscante, palavra desusada mas expressiva como as que mais o forem. Desesperado, o pobre homem tentou, sem resultado, tragar o bocado de maçã que o delatava, mas a voz não lhe saiu, nem para trás nem para diante. Responde, tornou a voz colérica do senhor, ao mesmo tempo que brandia ameaçadoramente o ceptro. Fazendo das tripas coração, consciente do feio que era pôr as culpas em outrem, adão disse, A mulher que tu me deste para viver comigo é que me deu do fruto dessa árvore e eu comi. Revolveu-se o senhor contra a mulher e perguntou, Que fizeste tu, desgraçada, e ela respondeu, A serpente enganou-me e eu comi, Falsa, mentirosa, não há serpentes no paraíso, Senhor, eu não disse que haja serpentes no paraíso, mas digo sim que tive um sonho em que me apareceu uma serpente, e ela disse-me, Com que então o senhor proibiu-vos de comerem do fruto de todas as árvores do jardim, e eu respondi que não era verdade, que só não podíamos comer do fruto da árvore que está no meio do paraíso e que morreríamos se tocássemos nele, As serpentes não falam, quando muito silvam, disse o senhor, A do meu sonho falou, E que mais disse ela, pode-se saber, perguntou o senhor, esforçando-se por imprimir às palavras um tom escarninho nada de acordo com a dignidade celestial da indumentária, A serpente disse que não teríamos que morrer, Ah, sim, a ironia do senhor era cada vez mais evidente, pelos vistos, essa serpente julga saber mais do que eu, Foi o que eu sonhei, senhor, que não querias que comêssemos do fruto porque abriríamos os olhos e ficaríamos a conhecer o mal e o bem como tu os conheces, senhor, E que fizeste, mulher perdida, mulher leviana, quando despertaste de tão bonito sonho, Fui à árvore, comi do fruto e levei-o a adão, que comeu também, Ficou-me aqui, disse adão, tocando na garganta, Muito bem, disse o senhor, já que assim o quiseram, assim o vão ter, a partir de agora acabou-se--lhes a boa vida, tu, eva, não só sofrerás todos os incómodos da gravidez, incluindo os enjoos, como parirás com dores, e não obstante sentirás atracção pelo teu homem, e ele mandará em ti, Pobre eva, começas mal, triste destino vai ser o teu, disse eva, Devias tê-lo pensado antes, e quanto à tua pessoa, adão, a terra ficou amaldiçoada por tua causa, e será com grande sacrifício que dela conseguirás tirar alimento durante toda a tua vida, só produzirá espinhos e cardos, e tu terás de comer a erva que cresce no campo, só à custa de muitas bagas de suor conseguirás arranjar o necessário para comer, até que um dia te venhas a transformar de novo em terra, pois dela foste formado, na verdade, mísero adão, tu és pó e ao pó um dia tornarás. Dito isto, o senhor fez aparecer umas quantas peles de animais para tapar a nudez de adão e eva, os quais piscaram os olhos um ao outro em sinal de cumplicidade, pois desde o primeiro dia souberam que estavam nus e disso bem se haviam aproveitado. Disse então o senhor, Tendo conhecido o bem e o mal, o homem tornou-se semelhante a um deus, agora só me faltaria que fosses colher também do fruto da árvore da vida para dele comeres e viveres para sempre, não faltaria mais, dois deuses num universo, por isso te expulso a ti e a tua mulher deste jardim do éden, a cuja porta colocarei de guarda um querubim armado com uma espada de fogo, o qual não deixará entrar ninguém, e agora vão-se embora, saiam daqui, não vos quero ver nunca mais na minha frente. Carregando sobre os ombros as fedorentas peles, bamboleando-se sobre as pernas trôpegas, adão e eva pareciam dois orangotangos que pela primeira vez se tivessem posto de pé. Fora do jardim do éden a terra era árida, inóspita, o senhor não tinha exagerado quando ameaçou adão com espinhos e cardos. Tal como também havia dito, acabara-se a boa vida.

2

A sua primeira morada foi uma estreita caverna, em verdade mais cavidade que caverna, de tecto baixo, descoberta num afloramento rochoso ao norte do jardim do éden quando, desesperados, vagueavam à procura de um abrigo. Ali puderam, finalmente, defender-se da queimação brutal de um sol que em nada se parecia com aquela invariável benignidade de temperatura a que estavam habituados, constante de noite e de dia, e em qualquer época do ano. Abandonaram as grossas peles que os sufocavam de calor e mau cheiro, e regressaram à primeira nudez, mas, para proteger de agressões exteriores as partes delicadas do corpo, as que andam só mais ou menos resguardadas entre as pernas, inventaram, utilizando as peles mais finas e de pêlo mais curto, aquilo a que mais tarde virá a chamar--se saia, idêntica na forma tanto para as mulheres como para os homens. Nos primeiros dias, sem terem ao menos uma côdea para mastigar, passaram fome. O jardim do éden era ubérrimo em frutos, aliás não se encontrava lá outra coisa de proveito, até aqueles animais que, por natureza, deveriam alimentar-se de carne sangrenta, pois para carnívoros vieram ao mundo, haviam sido, por imposição divina, submetidos à mesma melancólica e insatisfatória dieta. O que não se sabia era donde tinham vindo as peles que o senhor fizera aparecer com um simples estalar de dedos, como um prestidigitador. De animais eram, e grandes, mas vá lá saber-se quem os teria matado e esfolado, e onde. Casualmente, havia água por ali perto, porém não era mais que um regato turvo, em nada parecido com o rio caudaloso que nascia no jardim do éden e depois se dividia em quatro braços, um que ia regar uma região onde se dizia que o ouro abundava e outro que rodeava a terra de cuche. Os dois restantes, por mais extraordinário que pareça aos leitores de hoje, foram logo baptizados com os nomes de tigre e eufrates. Perante o humilde riacho que laboriosamente ia abrindo caminho entre os espinhos e os cardos do deserto, o mais provável foi ter sido o tal rio caudaloso uma ilusão de óptica fabricada pelo próprio senhor para tornar mais aprazível a vida no paraíso terrenal. Tudo pode acontecer. Tudo pode acontecer, sim, até a insólita ideia de eva de ir pedir ao querubim que lhe permitisse entrar no jardim do éden e colher alguma fruta que lhes aguentasse a fome por uns dias mais. Céptico, como qualquer homem, quanto aos resultados de uma diligência nascida em cabeça feminina, adão disse-lhe que fosse ela sozinha e que se preparasse para sofrer uma decepção, Está lá aquele querubim de sentinela à porta com a sua espada de fogo, não é um anjo qualquer, de segunda ou terceira categoria, sem peso nem autoridade, mas um querubim dos autênticos, como quererás tu que ele vá desobedecer às ordens que o senhor lhe deu, esta foi a sensata pergunta, Não sei, e não vou saber enquanto não o intentar, E se não conseguires, Se não conseguir, não terei perdido mais que os passos para lá e para cá, e as palavras que lhe disser, respondeu ela, Pois sim, mas iremos ter problemas se o querubim nos for denunciar ao senhor, Mais problemas que estes que temos agora, sem modo de ganhar a vida, sem comida para levar à boca, sem um tecto seguro nem roupas dignas desse nome, não vejo que problemas nos possam advir mais, o senhor já nos castigou expulsando-nos do jardim do éden, pior do que isto não imagino o que poderá ser, Sobre o que o senhor possa ou não possa, não sabemos nada, Se é assim, teremos de o forçar a explicar-se, e a primeira coisa que deverá dizer-nos é a razão por que nos fez e com que fim, Estás louca, Melhor louca que medrosa, Não me faltes ao respeito, gritou adão, enfurecido, eu não tenho medo, não sou medroso, Eu também não, portanto estamos quites, não há mais que discutir, Sim, mas não te esqueças de que quem manda aqui sou eu, Sim, foi o que o senhor disse, concordou eva, e fez cara de quem não havia dito nada. Quando o sol perdeu alguma da força, meteu-se ao caminho com a sua saia bem posta e uma pele das mais leves por cima dos ombros. Ia, como alguém dirá, decentezinha, embora não pudesse evitar que os seios, soltos, sem amparo, se movessem ao ritmo dos passos. Não podia impedi--los, nem em tal pensou, não havia por ali ninguém a quem eles pudessem atrair, nesse tempo as tetas serviam para mamar e pouco mais. Estava surpreendida consigo mesma, com a liberdade com que tinha respondido ao marido, sem temor, sem ter de escolher as palavras, dizendo simplesmente o que, na sua opinião, o caso justificava. Era como se dentro de si habitasse uma outra mulher, com nula dependência do senhor ou de um esposo por ele designado, uma fêmea que decidira, finalmente, fazer uso total da língua e da linguagem que o dito senhor, por assim dizer, lhe havia metido pela boca abaixo. Atravessou o riacho gozando a frescura da água que parecia difundir-se-lhe por dentro das veias ao mesmo tempo que experimentava algo no espírito que talvez fosse a felicidade, pelo menos parecia-se muito com a palavra. O estômago deu-lhe um estorcegão, não era hora para desfrutar de sentimentos positivos. Saiu da água, foi colher umas bagas ácidas que, ainda que não alimentassem, iludiam por algum tempo, pouco, a necessidade de comer. O jardim do éden já está perto, vêem-se distintamente as copas das árvores mais altas. Eva caminha mais lentamente que antes, e não é porque se sinta cansada. Adão, se aqui estivesse, de certeza se riria dela, Tão valente, tão valente, e afinal vais aí cheia de medo. Sim, tinha medo, medo de falhar, medo de não ter palavras suficientes para convencer o guarda, chegou mesmo a dizer em voz baixa, tal era o seu desânimo, Se eu fosse homem seria mais fácil. Aí está o querubim, a espada de fogo brilha com uma luz maligna na sua mão direita. Eva cobriu melhor o peito e avançou. Que queres, perguntou o anjo, Tenho fome, respondeu a mulher, Não há aqui nada que possas comer, Tenho fome, insistiu ela, Tu e o teu marido fostes expulsos do jardim do éden pelo senhor e a sentença não tem apelo, retira-te, Matas-me se eu quiser entrar, perguntou eva, Para isso me pôs o senhor de guarda, Não respondeste à minha pergunta, A ordem que tenho é essa, Matar-me, Sim, Portanto, obedecerás à ordem. O querubim não respondeu. Moveu o braço em cuja mão a espada de fogo silvava como uma serpente. Foi a sua resposta. Eva deu um passo em frente. Detém-te, disse o querubim, Terás de matar-me, não me deterei, e deu outro passo, ficarás aqui a guardar um pomar de fruta apodrecida que a ninguém apetecerá, o pomar de deus, o pomar do senhor, acrescentou. Que queres, perguntou outra vez o querubim, que pareceu não perceber que a reiteração iria ser interpretada como um sinal de fraqueza, Repito, tenho fome, Pensei que já estaríeis longe, E aonde iríamos nós, perguntou eva, estamos no meio de um deserto que não conhecemos e onde não se vê um caminho, um deserto onde durante estes dias não passou uma alma viva, dormimos num buraco, comemos ervas, como o senhor prometeu, e temos diarreias, Diarreias, que é isso, perguntou o querubim, Também se lhes pode chamar caganeiras, o vocabulário que o senhor nos ensinou dá para tudo, ter diarreia, ou caganeira, se gostares mais desta palavra, significa que não consegues reter a merda que levas dentro de ti, Não sei o que isso é, Vantagem de ser anjo, disse eva, e sorriu. O querubim gostou de ver aquele sorriso. No céu também se sorria muito, mas sempre seraficamente e com uma ligeira expressão de contrariedade, como quem pede desculpa por estar contente, se àquilo se podia chamar contentamento. Eva tinha vencido a batalha dialéctica, agora só faltava a da comida. Disse o querubim, Vou trazer-te alguns frutos, mas tu não o digas a ninguém, A minha boca não se abrirá, em todo o caso o meu marido vai ter de saber, Volta com ele amanhã, temos que conversar. Eva retirou a pele de cima dos ombros e disse, Usa isto para trazeres a fruta. Estava nua da cintura para cima. A espada silvou com mais força como se tivesse recebido um súbito afluxo de energia, a mesma energia que levou o querubim a dar um passo em frente, a mesma que o fez erguer a mão esquerda e tocar no seio da mulher. Nada mais sucedeu, nada mais podia suceder, os anjos, enquanto o sejam, estão proibidos de qualquer comércio carnal, só os anjos que caíram são livres de juntar-se a quem queiram e a quem os queira. Eva sorriu, pôs a mão sobre a mão do querubim e premiu-a suavemente contra o seio. O seu corpo estava coberto de sujidade, as unhas negras como se as tivesse usado para cavar a terra, o cabelo como um ninho de enguias entrelaçadas, mas era uma mulher, a única. O anjo havia entrado no jardim, demorou-se lá o tempo necessário para escolher os frutos mais nutrientes, outros ricos em água, e voltou ajoujado sob uma boa carga. Aqui tens, disse, e eva perguntou, Como te chamam, e ele respondeu, O meu nome é azael, Obrigada pela fruta, azael, Não podia deixar morrer de fome aqueles que o senhor criou, O senhor to agradecerá, mas o melhor é que não lhe fales disto. O querubim pareceu não ter ouvido, ou não ouviu mesmo, ocupado como estava a ajudar eva a pôr a recheada pele às costas, enquanto dizia, Amanhã voltas com adão, falaremos de algumas coisas que vos convém conhecer, Aqui estaremos, respondeu ela.

No dia seguinte, adão acompanhou a mulher ao jardim do éden. Por ideia dela lavaram-se o melhor que puderam no riacho e o melhor que puderam foi pouquíssimo, para não dizer nada, porque água sem sabão que lhe dê uma ajuda não passa de uma pobre ilusão de limpeza. Sentaram-se no chão e logo ali se viu que o querubim azael não era pessoa para perder tempo, Não sois os únicos seres humanos que existem na terra, começou, Que não somos os únicos, exclamou adão, estupefacto, Não me faças repetir o que já está dito, Quem foi que criou esses seres, onde estão, Em toda a parte, Foi o senhor que os criou como nos criou a nós, perguntou eva, Não posso responder, e se insistem com a pergunta a nossa conversação acaba agora mesmo, cada um ao que lhe competia, eu à guarda do jardim do éden, vós à vossa gruta e à vossa fome, Nesse caso, em pouco tempo morreremos, disse adão, a mim ninguém me ensinou a trabalhar, não posso cavar nem lavrar a terra porque me faltam a enxada e o arado, e se os tivesse seria preciso aprender a manejá-los e não haveria quem mo ensinasse neste deserto, afinal melhor estaríamos com o pó que éramos antes, sem vontade nem desejo, Falaste como um livro aberto, disse o querubim, e adão ficou contente por ter falado como um livro aberto, ele que nunca havia feito estudos. Depois eva perguntou, Se já existiam outros seres humanos, para que foi então que nos criou o senhor, Já deveis saber que os desígnios do senhor são inescrutáveis, mas, se bem entendi alguma meia palavra, tratou-se de um experimento, Um experimento, nós, exclamou adão, um experimento, para quê, Do que não conheço de ciência certa não ousaria falar, o senhor lá terá as suas razões para guardar silêncio sobre o assunto, Nós não somos um assunto, somos duas pessoas que não sabem como poderão viver, disse eva, Ainda não terminei, disse o querubim, Fala então, e que da tua boca saia uma boa notícia, ao menos uma que seja, Ouçam, não demasiado afastado daqui passa um caminho frequentado de vez em quando por caravanas que vão aos mercados ou que deles regressam, a minha ideia é que deveriam acender uma fogueira que produzisse fumo, muito fumo, de modo a poder ser visto de longe, Não temos com que acendê-la, interrompeu eva, Tu não tens, mas eu, sim, O quê, Esta espada de fogo, para alguma coisa servirá finalmente, basta chegar-lhe a ponta em brasa aos cardos secos e à palha e tereis aí uma fogueira capaz de ser vista desde a lua, quanto mais de uma caravana que passa à distância, com o que deverão ter cuidado é em não deixar que o fogo alastre, uma coisa é uma fogueira, outra um deserto inteiro a arder, acabaria por pegar ao jardim do éden, e eu ficaria sem emprego, E se as pessoas não aparecerem, perguntou eva, Ai aparecem, aparecem, podes ficar tranquila, respondeu azael, os seres humanos são curiosos por natureza, esses irão querer saber quem ateou aquela fogueira e com que intenção o fez, E depois, perguntou adão, Depois é convosco, aí já não posso nada, arranjem maneira de se juntarem à caravana, peçam que os contratem só pela comida, estou convencido de que quatro braços por um prato de lentilhas será bom negócio para todos, tanto para a parte contratante como para a parte contratada, quando isso acontecer não se esqueçam de apagar a fogueira, assim saberei que já se foram, será a tua oportunidade de aprenderes o que não sabes, adão. O plano era excelente, há querubins no mundo que são uma autêntica providência, enquanto o senhor, pelo menos neste experimento, não se preocupou nada com o futuro das suas criaturas, azael, o guarda angélico encarregado de as manter afastadas do jardim do éden, acolheu-as cristãmente, garantiu-lhes a comida e, sobretudo, habilitou-as para a vida com algumas preciosas ideias práticas, um verdadeiro caminho de salvação do corpo, e portanto da alma. O casal desfez-se em mostras de gratidão, eva chegou mesmo a derramar algumas lágrimas quando se abraçou a azael, demonstração afectiva nada do agrado do marido, que mais adiante não conseguiu reprimir a pergunta que andava a saltar-lhe na boca, Deste-lhe alguma coisa em troca, Que coisa e a quem, isto disse eva, sabendo muito bem a que se referia o esposo, A quem havia de ser, a ele, a azael, disse adão omitindo por cautela a primeira parte da questão, É um querubim, um anjo, respondeu eva, e mais não achou necessário dizer. Crê-se que foi neste dia que começou a guerra dos sexos. A caravana tardou três semanas a aparecer. Claro que não veio toda ela à caverna em que adão e eva viviam, só uma guarda avançada de três homens que não tinham autoridade para negociar contratos de trabalho, mas que se apiedaram daqueles desvalidos e lhes deram lugar nos lombos dos burros em que vinham montados. O chefe da caravana decidiria que fazer com eles. Apesar desta dúvida, como quem fecha uma porta à despedida, adão apagou a fogueira. Quando o último fumo se dissipou na atmosfera, o querubim disse, Já lá vão, boa viagem.

3

A vida não lhes correu mal. Foram aceites na caravana apesar da sua evidente inabilidade laboral e não tiveram de dar demasiadas explicações sobre quem eram e de onde tinham vindo. Que se tinham perdido, disseram, e, em última instância, realmente assim era. Tirando o facto de serem filhos do senhor, obra directamente saída das suas divinas mãos, circunstância esta que ninguém ali estava em condições de conhecer, não se notavam especiais diferenças fisionómicas entre eles e os seus providenciais hospedeiros, dir-se-ia até que pertenciam todos à mesma raça, cabelos pretos, pele morena, olhos escuros, sobrancelhas acentuadas. Quando abel nascer, todos os vizinhos irão estranhar a rosada brancura com que veio ao mundo, como se fosse filho de um anjo, ou de um arcanjo, ou de um querubim, salvo seja. O prato de lentilhas nunca faltou e não tardou muito para que adão e eva começassem a cobrar uma soldada, coisa pequena, quase simbólica, mas que já representava um começo de vida. Não só adão, mas também eva, que não nascera para duquesa, foram sendo iniciados a pouco e pouco nos mistérios do trabalho das mãos, em operações tão simples como a de fazer um nó corredio numa corda ou tão complexas como manejar uma agulha sem picar demasiado os dedos. Quando a caravana chegou à povoação donde havia saído semanas antes para fazer comércio emprestaram-lhes uma tenda e umas esteiras onde dormissem, e foi graças a essa e outras temporadas de estabilidade de vida que adão pôde, enfim, aprender a cavar e a lavrar a terra, a lançar sementes ao rego, até chegar à sublime arte da poda, essa que nenhum senhor, nenhum deus havia sido capaz de inventar. Começou por trabalhar com ferramentas que lhe emprestavam, depois foi juntando os seus próprios aprestos e ao cabo de uns poucos anos já era considerado pelos vizinhos como um bom agricultor. Os tempos do jardim do éden e da caverna no deserto, os espinhos e os cardos, o riacho de águas turvas, foram-se esfumando na memória até aparecerem algumas vezes como gratuitos inventos não vividos, nem sequer sonhados, mas intuídos como algo que teria sido outra vida, outro ser, outro diferente destino. É certo que nas recordações de eva havia um lugar reservado para azael, o querubim que tinha infringido as ordens do senhor para salvar de morte certa as suas obras, mas esse era um segredo seu, a ninguém confiado. E houve o dia em que adão pôde comprar um pedaço de terra, chamar-lhe sua e levantar, encostada a uma colina, uma casa de toscos adobes, aí onde já poderiam nascer os seus três filhos, caim, abel e set, todos eles, no momento próprio das suas vidas, gatinhando entre a cozinha e o salão. E também entre a cozinha e o campo, porque os dois mais velhos, quando já cresciditos, com a ingénua astúcia da sua pouca idade, usavam de todos os pretextos válidos e menos válidos para que o pai os levasse consigo, montados no burro da família, para o seu local de trabalho. Cedo se viu que as vocações dos dois pequenos não coincidiam. Enquanto abel preferia a companhia das ovelhas e dos cordeiros, as alegrias de caim iam todas para as enxadas, as forquilhas e as gadanhas, um, fadado para abrir caminho na pecuária, outro, para singrar na agricultura. Há que reconhecer que a distribuição da mão-de-obra doméstica era absolutamente satisfatória, uma vez que cobria por inteiro os dois mais importantes sectores da economia da época. Era voz unânime, entre os vizinhos, que aquela família tinha futuro. E ia tê-lo, como em pouco tempo se haveria de ver, com a sempre indispensável ajuda do senhor, que para isso está. Desde a mais tenra infância caim e abel haviam sido os melhores amigos, a um ponto tal que nem irmãos pareciam, aonde ia um, o outro ia também, e tudo faziam de comum acordo. O senhor os quis, o senhor os juntou, assim diziam na aldeia as mães ciumentas, e parecia certo. Até que um dia o futuro entendeu que já era hora de se apresentar. Abel tinha o seu gado, caim o seu agro, e, como mandavam a tradição e a obrigação religiosa, ofereceram ao senhor as primícias do seu trabalho, queimando abel a delicada carne de um cordeiro e caim os produtos da terra, umas quantas espigas e sementes. Sucedeu então algo até hoje inexplicado. O fumo da carne oferecida por abel subiu a direito até desaparecer no espaço infinito, sinal de que o senhor aceitava o sacrifício e nele se comprazia, mas o fumo dos vegetais de caim, cultivados com um amor pelo menos igual, não foi longe, dispersou-se logo ali, a pouca altura do solo, o que significava que o senhor o rejeitava sem qualquer contemplação. Inquieto, perplexo, caim propôs a abel que trocassem de lugar, podia ser que houvesse ali uma corrente de ar que fosse a causa do distúrbio, e assim fizeram, mas o resultado foi o mesmo. Estava claro, o senhor desdenhava caim. Foi então que o verdadeiro carácter de abel veio ao de cima. Em lugar de se compadecer do desgosto do irmão e consolá-lo, escarneceu dele, e, como se isto ainda fosse pouco, desatou a enaltecer a sua própria pessoa, proclamando-se, perante o atónito e desconcertado caim, como um favorito do senhor, como um eleito de deus. O infeliz caim não teve outro remédio que engolir a afronta e voltar ao trabalho. A cena repetiu-se, invariável, durante uma semana, sempre um fumo que subia, sempre um fumo que podia tocar-se com a mão e logo se desfazia no ar. E sempre a falta de piedade de abel, os dichotes de abel, o desprezo de abel. Um dia caim pediu ao irmão que o acompanhasse a um vale próximo onde era voz corrente que se acoitava uma raposa e ali, com as suas próprias mãos, o matou a golpes de uma queixada de jumento que havia escondido antes num silvado, portanto com aleivosa premeditação. Foi nesse exacto momento, isto é, atrasada em relação aos acontecimentos, que a voz do senhor soou, e não só soou ela como apareceu ele. Tanto tempo sem dar notícias, e agora aqui estava, vestido como quando expulsou do jardim do éden os infelizes pais destes dois. Tem na cabeça a coroa tripla, a mão direita empunha o ceptro, um balandrau de rico tecido cobre-o da cabeça aos pés. Que fizeste com o teu irmão, perguntou, e caim respondeu com outra pergunta, Era eu o guarda-costas de meu irmão, Mataste-o, Assim é, mas o primeiro culpado és tu, eu daria a vida pela vida dele se tu não tivesses destruído a minha, Quis pôr-te à prova, E tu quem és para pores à prova o que tu mesmo criaste, Sou o dono soberano de todas as coisas, E de todos os seres, dirás, mas não de mim nem da minha liberdade, Liberdade para matar, Como tu foste livre para deixar que eu matasse a abel quando estava na tua mão evitá-lo, bastaria que por um momento abandonasses a soberba da infalibilidade que partilhas com todos os outros deuses, bastaria que por um momento fosses realmente misericordioso, que aceitasses a minha oferenda com humildade, só porque não deverias atrever-te a recusá-la, os deuses, e tu como todos os outros, têm deveres para com aqueles a quem dizem ter criado, Esse discurso é sedicioso, É possível que o seja, mas garanto-te que, se eu fosse deus, todos os dias diria Abençoados sejam os que escolheram a sedição porque deles será o reino da terra, Sacrilégio, Será, mas em todo o caso nunca maior que o teu, que permitiste que abel morresse, Tu é que o mataste, Sim, é verdade, eu fui o braço executor, mas a sentença foi ditada por ti, O sangue que aí está não o fiz verter eu, caim podia ter escolhido entre o mal e o bem, se escolheu o mal pagará por isso, Tão ladrão é o que vai à vinha como aquele que fica a vigiar o guarda, disse caim, E esse sangue reclama vingança, insistiu deus, Se é assim, vingar-te-ás ao mesmo tempo de uma morte real e de outra que não chegou a haver, Explica-te, Não gostarás do que vais ouvir, Que isso não te importe, fala, É simples, matei abel porque não podia matar-te a ti, pela intenção estás morto, Compreendo o que queres dizer, mas a morte está vedada aos deuses, Sim, embora devessem carregar com todos os crimes cometidos em seu nome ou por sua causa, Deus está inocente, tudo seria igual se não existisse, Mas eu, porque matei, poderei ser morto por qualquer pessoa que me encontre, Não será assim, farei um acordo contigo, Um acordo com o réprobo, perguntou caim, mal acreditando no que acabara de ouvir, Diremos que é um acordo de responsabilidade partilhada pela morte de abel, Reconheces então a tua parte de culpa, Reconheço, mas não o digas a ninguém, será um segredo entre deus e caim, Não é certo, devo estar a sonhar, Com os deuses isso acontece muitas vezes, Por serem, como se diz, inescrutáveis os vossos desígnios, perguntou caim, Essas palavras não as disse nenhum deus que eu conheça, nunca nos passaria pela cabeça dizer que os nossos desígnios são inescrutáveis, isso foi coisa inventada por homens que presumem de ser tu cá, tu lá com a divindade, Então não serei castigado pelo meu crime, perguntou caim, A minha porção de culpa não absolve a tua, terás o teu castigo, Qual, Andarás errante e perdido pelo mundo, Sendo assim, qualquer pessoa me poderá matar, Não, porque porei um sinal na tua testa, ninguém te fará mal, mas, em pago da minha benevolência, procura tu não fazer mal a ninguém, disse o senhor, tocando com o dedo indicador a testa de caim, onde apareceu uma pequena mancha negra, Este é o sinal da tua condenação, acrescentou o senhor, mas é também o sinal de que estarás toda a vida sob a minha protecção e sob a minha censura, vigiar-te-ei onde quer que estejas, Aceito, disse caim, Não terias outro remédio, Quando principia o meu castigo, Agora mesmo, Poderei despedir-me dos meus pais, perguntou caim, Isso é contigo, em assuntos de família não me meto, mas com certeza vão querer saber onde está abel, e suponho que não lhes irás dizer que o mataste, Não, Não, quê, Não me despedirei dos meus pais, Então, parte. Não havia mais nada a dizer. O senhor desapareceu antes que caim tivesse dado o primeiro passo. A cara de abel estava coberta de moscas, havia moscas nos seus olhos abertos, moscas na comissura dos lábios, moscas nas feridas que tinha sofrido nas mãos quando as levantara para proteger-se dos golpes. Pobre abel, a quem deus tinha enganado. O senhor havia feito uma péssima escolha para a inauguração do jardim do éden, no jogo da roleta posto a correr todos tinham perdido, no tiro ao alvo de cegos ninguém havia acertado. A eva e adão ainda restava a possibilidade de gerarem um filho para compensar a perda do assassinado, mas bem triste há-de ser a gente sem outra finalidade na vida que a de fazer filhos sem saber porquê nem para quê. Para continuar a espécie, dizem aqueles que crêem num objectivo final, numa razão última, embora não tenham nenhuma ideia sobre quais sejam e que nunca se perguntaram em nome de quê terá a espécie de continuar como se fosse ela a única e derradeira esperança do universo. Ao matar abel por não poder matar o senhor, caim deu já a sua resposta. Não se augure nada bom da vida futura deste homem.

4

E, contudo, esse homem acossado que aí vai, perseguido pelos seus próprios passos, esse maldito, esse fratricida, teve bons princípios como poucos. Que o diga sua mãe que tantas vezes o foi encontrar, sentado no chão húmido do horto, a olhar para uma pequena árvore recém-plantada, à espera de vê-la crescer. Tinha quatro ou cinco anos e queria ver crescer as árvores. Então, ela, pelos vistos ainda mais imaginosa que o filho, explicou-lhe que as árvores são muito tímidas, só crescem quando não estamos a olhar para elas, É que lhes dá vergonha, disse-lhe um dia. Por alguns instantes caim permaneceu calado, a pensar, mas logo respondeu, Então não olhes, mãe, de mim não têm vergonha, estão habituadas. Prevendo já o que viria depois, a mãe apartou o olhar e imediatamente a voz do filho soou triunfal, Agora mesmo cresceu, agora mesmo cresceu, eu bem te tinha dito que não olhasses. Nessa noite, quando adão voltou do trabalho, eva, rindo, contou-lhe o que se tinha passado e o marido respondeu, Esse rapaz vai longe. Talvez fosse, sim, se o senhor não se tivesse atravessado no seu caminho. Ainda assim, longe bastante já ele ia, embora não no sentido que o pai lhe havia vaticinado. Arrastando os pés de cansaço, avançava por um descampado sem um arruinado casebre à vista ou outro sinal de vida, uma solidão desgarradora que o céu raso aumentava ainda mais pela ameaça de uma chuvada iminente. Não teria onde recolher-se, a não ser debaixo de alguma árvore entre as poucas que, lentamente, à medida que caminhava, iam assomando a copa acima do horizonte próximo. As ramagens, em geral escassamente povoadas de folhas, não garantiam protecção digna desse nome. Foi então, ao caírem as primeiras gotas, que caim deu por que tinha a túnica suja de sangue. Pensou que talvez a mancha desaparecesse com a chuva, mas logo percebeu que não, melhor seria disfarçá-la com terra, ninguém seria capaz de suspeitar o que estaria debaixo, tanto mais que gente com túnicas sujas, enodoadas, era o que menos faltava por estes sítios. Começou a chover com força, em pouco tempo a túnica ficou empapada, da mancha de sangue não se percebia o menor vestígio, além disso sempre poderia dizer, se fosse perguntado, que se tratava de sangue de cordeiro. Sim, disse caim em voz alta, mas abel não era nenhum cordeiro, era o meu irmão, e eu matei-o. Nesse momento não se lembrou de que havia dito ao senhor que ambos eram culpados do crime, mas a memória não tardou a ajudá-lo, por isso acrescentou, Se o senhor, que, segundo se diz, tudo sabe e tudo pode, tivesse feito sumir dali a queixada de burro, eu não teria matado abel, e agora podíamos estar os dois à porta da casa a ver a chuva cair, e abel reconheceria que realmente o senhor havia feito mal em não aceitar o único que eu tinha para lhe oferecer, as sementes e as espigas nascidas do meu afã e do meu suor, e ele ainda estaria vivo e nós seríamos tão amigos como sempre o tínhamos sido. Chorar o leite derramado não é tão inútil quanto se diz, é de alguma maneira instrutivo porque nos mostra a verdadeira dimensão da frivolidade de certos procedimentos humanos, porquanto se o leite se derramou, derramado está e só há que limpá-lo, e se abel foi morto de morte malvada é porque alguém lhe tirou a vida. Reflectir enquanto a chuva nos vem caindo em cima não é certamente a coisa mais cómoda do mundo, e foi talvez por isso que de um momento para o outro deixou de chover, para que caim pudesse pensar à vontade, seguir livremente o curso do seu pensamento até ver aonde ele o levaria. Não o chegaremos a saber nunca, nem nós, nem ele, o súbito aparecimento, como se saísse do nada, do que restava de um casebre distraiu-o das suas cogitações e dos seus pesares. Havia sinais de cultivo da terra na parte de trás da casa, mas era evidente que os habitantes a tinham abandonado havia muito tempo, em todo o caso talvez não tanto se tivermos em conta a fragilidade intrínseca, a precária coesão dos materiais destas humildes moradas, que necessitam constantes reparações para não se irem abaixo em uma só estação. Se lhes falta uma mão cuidadosa, a casa dificilmente suportará a acção corrosiva das intempéries, em particular a chuva que empapa os adobes e o vento que a vai raspando como se estivesse forrado de lixa grossa. Algumas das paredes interiores haviam caído, o tecto desabara na sua maior parte, apenas sobrevivia um recanto relativamente protegido onde o exausto caminhante se deixou cair. Mal se podia ter nas pernas, não só pelo muito que tinha andado mas também porque a fome começava a apertá-lo. O dia estava quase a chegar ao fim, em pouco tempo seria noite. Vou ficar aqui, disse caim em voz alta, conforme era seu costume, como se precisasse de tranquilizar-se a si mesmo, ele a quem ninguém ameaça neste momento, provavelmente nem o próprio senhor sabe onde ele se encontra. Apesar de o tempo não estar demasiado frio, a túnica molhada, pegada à pele, causava-lhe arripios. Pensou que despindo-a mataria dois coelhos de uma cajadada, primeiro porque se acabariam os frios, e também porque a túnica, sendo feita de pano mais fino que grosso, em pouco tempo secaria. Assim fez e imediatamente se sentiu melhor. É verdade que não lhe pareceu bem ver-se nu como tinha vindo ao mundo, mas estava sozinho, sem testemunhas, sem ninguém que lhe pudesse tocar. Este pensamento provocou nele um novo arripio, não o mesmo, não aquele que havia resultado directamente do contacto da túnica molhada, mas uma espécie de estremecimento na região do sexo, um ligeiro entumecimento que não tardou a desaparecer, como se se tivesse envergonhado de si mesmo. Caim sabia o que aquilo era, mas, apesar da sua juventude, não lhe prestava grande atenção ou simplesmente tinha medo de que dali lhe viesse mais mal que bem. Enroscou-se no seu canto, juntando os joelhos com o peito, e assim adormeceu. O frio da madrugada fê-lo acordar. Estendeu a mão para apalpar a túnica, sentiu que ainda havia nela um resto de humidade, mas, apesar disso, decidiu-se a vesti-la, acabaria de secar no corpo. Não teve sonhos nem pesadelos, dormiu como se supõe que deverá dormir uma pedra, sem consciência, sem responsabilidade, sem culpa, porém, ao acordar, à primeira luz da manhã, as suas palavras foram, Matei o meu irmão. Se os tempos fossem outros, talvez tivesse chorado, talvez se tivesse desesperado, talvez tivesse dado punhadas no peito e na cabeça, mas sendo as coisas o que são, praticamente o mundo só agora foi inaugurado, faltam-nos ainda muitas palavras para que comecemos a tentar dizer quem somos e nem sempre daremos com as que melhor o expliquem, contentou-se com repetir as que havia dito até que deixaram de significar e não foram mais que uma série de sons inconexos, uns balbuceios sem sentido. Foi então que percebeu que afinal havia sonhado, não um sonho precisamente, mas uma imagem, a sua, regressando a casa e encontrando o irmão no vão da porta, à sua espera. Assim o recordará durante toda a vida como se tivesse feito as pazes com o seu crime e não houvesse mais remorso que sofrer.

    Saiu da barraca e aspirou profundamente o ar frio.

O sol ainda não havia nascido, mas o céu já se iluminava de delicados tons coloridos, o suficiente para que a árida e monótona paisagem que tinha diante dos olhos, a esta primeira luz da manhã, aparecesse transfigurada, uma espécie de jardim do éden sem proibições. Caim não tinha qualquer motivo para orientar os seus passos numa direcção precisa, mas instintivamente buscou os sinais que deixara antes de se ter desviado para o casebre em que passara a noite. Era simples, afinal bastaria caminhar ao encontro do sol, para aquele lado, onde ele não tardaria a levantar-se. Aparentemente apaziguado pelas horas de sono, o estômago moderara as contracções, e seria bom que se mantivesse nessa disposição porque esperança de comida próxima não havia nenhuma, e se é certo que de vez em quando aparecia uma ou outra figueira, frutos não tinham, que não era tempo deles. Com um resto de energia que não imaginava possuir ainda, reiniciou a caminhada. O sol apareceu, hoje não choverá, é mesmo possível que venha a fazer calor. Ao cabo de não muito tempo, começou a sentir-se outra vez cansado. Tinha de encontrar algo de comer, ou então acabaria prostrado neste deserto, em poucos dias reduzido à ossamenta, que disso se encarregariam as aves carnívoras ou alguma matilha de cães asselvajados que até agora ainda não se tinham manifestado. Estava porém escrito que a vida de caim não se acabaria aqui, sobretudo porque não teria valido a pena que o senhor tivesse perdido tanto tempo a amaldiçoá-lo se era para vir morrer neste páramo. O aviso veio de baixo, dos fatigados pés que haviam tardado a perceber que o chão que pisavam era já outro, despido de vegetação, sem ervas ou cardos que embaraçassem o andar, enfim, para tudo deixar dito em poucas palavras, caim, sem saber como nem quando, tinha achado um caminho. Alegrou-se o pobre errante, pois é norma conhecida que uma via de trânsito, estrada, vereda ou carreiro, acabará por conduzir, mais cedo ou mais tarde, perto ou longe, a um lugar povoado onde talvez seja possível encontrar trabalho, tecto e um naco de pão que mate esta fome. Animado pelo súbito descobrimento, fazendo, como é costume dizer-se, das tripas coração, buscou forças onde já as não havia e acelerou o passo, sempre à espera de ver aparecer uma casa com sinais de vida, um homem montado num burro ou uma mulher com um cântaro à cabeça. Ainda teve de andar muito. O velho que finalmente lhe apareceu pela frente ia a pé e levava duas ovelhas atadas por um baraço. Caim saudou-o com as palavras mais cordiais do seu vocabulário, mas o homem não retribuiu, Que marca é essa que tens na testa, perguntou. Apanhado de surpresa, caim perguntou por sua vez, Qual marca, Essa, disse o homem, levando a mão à sua própria testa, É um sinal de nascença, respondeu caim, Não deves ser boa gente, Quem to disse, como o sabes, respondeu caim imprudentemente, Como diz o refrão antigo, o diabo que te assinalou, algum defeito te encontrou, Não sou melhor nem pior que os demais, procuro trabalho, disse caim tratando de levar a conversa ao terreno que lhe convinha, Trabalho é o que por aqui não falta, que sabes tu fazer, perguntou o velho, Sou agricultor, Já temos agricultores em quantidade suficiente, por esse lado não irás conseguir nada, além disso vens sozinho, sem família, Perdi a minha, Perdeste-a como, Perdi-a simplesmente, e não há mais que contar, Sendo assim, deixo-te, não gosto da tua cara nem desse sinal que tens na testa. Já se afastava, mas caim ainda o reteve, Não vás, diz-me ao menos como chamam a estes sítios, Chamam-lhes terra de nod, E nod que quer dizer, Significa terra da fuga ou terra dos errantes, diz-me tu, já que aqui chegaste, de quê andas fugido e porquê és um errante, Não conto a minha vida ao primeiro que encontre no caminho com duas ovelhas atadas por um baraço, além disso não te conheço, não te devo respeito e não tenho por que responder às tuas perguntas, Voltaremos a ver-nos, Quem sabe, talvez não encontre trabalho aqui e tenha de buscar outro destino, Se és capaz de moldear um adobe e levantar uma parede, este é o teu destino, Aonde devo ir, perguntou caim, Segue por esta rua a direito, ao fundo há uma praça, aí terás a resposta, Adeus, velho, Adeus, oxalá não chegues tu a sê-lo, Por baixo das palavras que dizes percebo que há outras que calas, Sim, por exemplo, essa tua marca não é de nascença, não a fizeste a ti próprio, nada do que disseste aqui é verdadeiro, Pode ser que a minha verdade seja para ti mentira, Pode ser, sim, a dúvida é o privilégio de quem viveu muito, será por isso que não conseguiste convencer-me a aceitar como certezas o que para mim mais se parece a falsidades, Quem és tu, perguntou caim, Cuidado, rapaz, se me perguntas quem sou estarás a reconhecer o meu direito a querer saber quem és, Nada me obrigará a dizê-lo, Vais entrar nesta cidade, vais ficar aqui, mais cedo ou mais tarde tudo se saberá, Só quando tenha de ser e não por mim, Diz-me, ao menos, como te chamas, Abel é o meu nome, disse caim.

Enquanto o falso abel vai andando em direcção à praça onde, no dizer do velho, se encontrará com o seu destino, atendamos à pertinentíssima observação de alguns leitores vigilantes, dos sempre atentos, que consideram que o diálogo que acabámos de registar como acontecido não seria historicamente nem culturalmente possível, que um lavrador de poucas e já nenhumas terras, e um velho de quem não se conhecem ofício nem benefício, nunca poderiam pensar e falar assim. Têm razão esses leitores, porém, a questão não estará tanto em dispor ou não dispor de ideias e vocabulário suficiente para as expressar, mas sim na nossa própria capacidade de admitir, que mais não seja por simples empatia humana e generosidade intelectual, que um camponês das primeiras eras do mundo e um velho com duas ovelhas atadas a um baraço, apenas com o seu limitado saber e uma linguagem que ainda estaria a dar os primeiros passos, fossem impelidos pela necessidade a provar maneiras de expressar premonições e intuições aparentemente fora do seu alcance. Que eles não disseram aquelas palavras, é mais do que óbvio, mas as dúvidas, as suspeitas, as perplexidades, os avanços e recuos da argumentação, estiveram lá. O que fizemos foi simplesmente passar ao português corrente o duplo e para nós irresolúvel mistério da linguagem e do pensamento daquele tempo. Se o resultado é coerente agora, também o seria na altura porque, ao final, almocreves somos e pela estrada andamos. Todos, tanto os sábios como os ignorantes.

Aí está a praça. Em verdade, ter chamado a isto uma cidade foi um exagero. Umas quantas casas térreas mal alinhadas, umas quantas crianças brincando não se sabe a quê, uns adultos que se movem como sonâmbulos, uns burros que parecem ir aonde querem e não aonde os conduzem, qualquer cidade que se preze desse nome nunca se reconhecerá na cena primitiva que temos diante dos olhos, faltam aqui os automóveis e os autocarros, os sinais de tráfego, os semáforos, as passagens subterrâneas, os anúncios nas frontarias ou nos telhados das casas, numa palavra, a modernidade, a vida moderna. Enfim, tudo se andará, o progresso, tal como virá a reconhecer-se mais tarde, é inevitável, fatal como a morte. E a vida. Ao fundo vê-se um edifício em construção, uma espécie de palácio rústico de dois pisos, nada que se pareça a mafra, a versalhes ou a buckingham, em que se afadigam dezenas de pedreiros e ajudas, estes carregando adobes às costas, aqueles assentando-os em fieiras regulares. Caim nada entende de trabalhos de alta ou baixa alvenaria, mas, se o seu destino o está esperando aqui, por muito amargo que possa vir a ser, e isso sempre se sabe quando já é demasiado tarde para mudar, não lhe resta outro remédio senão enfrentá-lo. Como um homem. Disfarçando o melhor que podia a ansiedade e a fome que lhe faziam tremer as pernas, avançou para o estaleiro. Se por natural desconhecimento os operários o confundiram com um daqueles ociosos que em todas as épocas da humanidade se detiveram para ver trabalhar os outros, logo perceberam que quem ali estava era mais uma vítima da crise, um triste desempregado à busca de uma tábua de salvação. Quase sem que caim tivesse necessidade de dizer ao que ia, apontaram-lhe o olheiro que vigiava o grupo, Fala com ele, disseram. Caim foi, subiu ao poiso do observador e, depois das saudações usuais, disse que andava à procura de trabalho. O olheiro perguntou, Que sabes tu fazer, e caim respondeu, Desta arte, nada, sou lavrador, mas imagino que mais dois braços alguma serventia poderão ter, Dois braços, não, uma vez que não sabes nada do ofício de alvenel, mas dois pés, talvez, Dois pés, estranhou caim, sem compreender, Sim, dois pés, para pisar o barro, Ah, Espera aqui, vou falar com o capataz. Retirava-se já, mas ainda voltou a cabeça para perguntar, Como te chamas, Abel, respondeu caim. O olheiro não se demorou muito, Podes começar a trabalhar já, eu levo-te à pisa do barro, Quanto vou ganhar, perguntou caim, Os pisadores ganham todos por igual, Sim, mas quanto irei eu ganhar, Isso não é da minha conta, em todo o caso, se queres um bom conselho, não perguntes já, não está bem visto, primeiro terás de mostrar o que vales, e ainda te digo mais, não deverias perguntar nada, espera que te paguem, Se pensas que é o melhor, assim farei, mas não me parece justo, Aqui não convém ser impaciente, De quem é a cidade, como se chama, perguntou caim, Como se chama quem, a cidade ou o senhor dela, Ambos, A cidade, por assim dizer, ainda não tem nome, uns chamam-lhe de uma forma, outros de outra, de toda a maneira estes sítios são conhecidos por terra de nod, Já o sabia, disse-mo um velho que encontrei ao chegar, Um velho com duas ovelhas atadas por um baraço, perguntou o olheiro, Sim, Aparece por aí às vezes, mas não vive cá, E o senhor daqui, é quem, O senhor é senhora e o seu nome é lilith, Não tem marido, perguntou caim, Creio ter ouvido dizer que se chama noah, mas ela é quem governa o rebanho, disse o olheiro, e imediatamente anunciou, Aqui está a pisa do barro. Um grupo de homens com a túnica arregaçada com um nó acima do joelho dava voltas na grossa camada de uma mistura de barro, palha e areia, calcando-a com determinação de modo a tornar a massa tão homogénea quanto fosse possível na falta de meios mecânicos. Não era um trabalho que exigisse muita ciência, apenas boas e sólidas pernas e, podendo ser, um estômago confortado, o que, como sabemos, não era o caso de caim. Disse o olheiro, Podes entrar, só tens de fazer o que fazem os outros, Há três dias que não como, tenho medo de que se me quebrem as forças e caia aí no meio do barro, disse caim, Vem comigo, Não tenho com que pagar, Pagas depois, vem. Foram os dois a uma espécie de quiosque que havia a um lado da praça e onde se vendia comida. Para não sobrecarregar o relato com pormenores históricos dispensáveis passaremos sem exame a modesta ementa, cujos ingredientes, aliás, pelo menos em alguns casos, não saberíamos identificar. Os alimentos tinham ar de bem apaladados e caim comia que dava gosto vê-lo. Então o olheiro perguntou, Que sinal é esse que tens na testa, não parece natural, Pode ser que não pareça, mas já nasci com ele, Dá a impressão de que alguém te marcou, O velho das duas ovelhas também disse o mesmo, mas estava enganado, tal como tu estás, Se tu o dizes, Digo-o e repeti-lo-ei quantas vezes forem necessárias, mas preferiria que me deixassem em paz, se eu fosse coxo em vez de ter este sinal, suponho que não mo fariam notar constantemente, Tens razão, não tornarei a importunar-te, Não me importunas nada, tanto mais que tenho de agradecer-te a grande ajuda que me estás a dar, o emprego, esta comida que veio pôr-me a alma no seu lugar, e talvez ainda alguma coisa mais, Que coisa, Não tenho onde dormir, Isso resolve-se facilmente, arranjo-te uma esteira, há aí uma hospedaria, falarei com o dono, Não há dúvida de que és um bom samaritano, disse caim, Samaritano, perguntou o olheiro intrigado, isso que vem a ser, Não sei, saiu-me de repente, sem pensar, nem sei o que significa, Tens mais coisas na cabeça do que a tua aparência promete, Esta túnica imunda, Cedo-te uma das minhas, a essa passarás a usá-la para trabalhar, Pelo pouco que conheço deste mundo não deve haver muitos homens bons, foi uma sorte para mim encontrar aqui um deles, Acabaste, perguntou o olheiro num tom algo seco, como se o aborrecessem os louvores, Não posso mais, não me lembro de alguma vez na vida ter comido tanto, Agora, a trabalhar. Regressaram ao palácio, desta vez pela parte edificada anterior à ampliação em curso, e aí viram num balcão uma mulher vestida com tudo o que devia ser o luxo do tempo e essa mulher, que à distância já parecera belíssima, olhava-os como absorta, como se não desse por eles, Quem é, perguntou caim, É lilith, a dona do palácio e da cidade, oxalá não ponha os olhos em ti, oxalá, Porquê, Contam-se coisas, Que coisas, Diz-se que é bruxa, capaz de endoidecer um homem com os seus feitiços, Que feitiços, perguntou caim, Não sei nem quero saber, não sou curioso, a mim basta-me ter visto por aí dois ou três homens que tiveram comércio carnal com ela, E quê, Uns infelizes que davam lástima, espectros, sombras do que haviam sido, Deves estar louco se imaginas um pisador de barro a dormir com a rainha da cidade, Queres dizer a dona, Rainha ou dona, tanto faz, Vê-se que não conheces as mulheres, são capazes de tudo, do melhor e do pior se lhes dá para isso, são muito senhoras de desprezar uma coroa em troca de irem lavar ao rio a túnica do amante ou atropelarem tudo e todos para chegar a sentar-se num trono, Falas por experiência, perguntou caim, Observo, nada mais, para isso é que sou olheiro, No entanto, alguma experiência terás, Sim, alguma, mas sou um pássaro de asas curtas, desses que voam baixo, Pois eu nem sequer alcei voo uma vez que fosse, Não conheces mulher, perguntou o olheiro, Não, Estás muito a tempo, ainda és novo. Tinham na sua frente a pisa do barro. Esperaram que os homens, mais ou menos alinhados desde o centro para a periferia e que de vez em quando trocavam de sítio, os de dentro para fora, os de fora para dentro, acabassem de dar a volta e chegassem à sua altura. Então o olheiro disse, tocando-o num ombro, Entra.

Como tudo, as palavras têm os seus quês, os seus comos e os seus porquês. Algumas, solenes, interpelam-nos com ar pomposo, dando-se importância, como se estivessem destinadas a grandes coisas, e, vai-se ver, não eram mais que uma brisa leve que não conseguiria mover uma vela de moinho, outras, das comuns, das habituais, das de todos os dias, viriam a ter, afinal, consequências que ninguém se atreveria a prever, não tinham nascido para isso, e contudo abalaram o mundo. O olheiro disse, Entra, e foi como se dissesse, Vai pisar barro, vai ganhar o teu pão, mas essa palavra foi exactamente a mesma que lilith, semanas mais tarde, virá a pronunciar, letra por letra, quando mandou chamar o homem de quem lhe haviam dito que se chamava abel, Entra. Em mulher com fama de despachada em procurar satisfação para os seus desejos, pode parecer estranho que tivesse levado semanas a abrir a porta do seu quarto, mas até isso tem explicação, como mais adiante se verá. Durante esse tempo, caim não poderia imaginar que ideias estava alimentando aquela mulher quando, ao princípio acompanhada por um séquito de guardas, escravas e outros servidores, começou a aparecer na pisa do barro. Seria como aqueles proprietários rurais bem-dispostos que se vão interessar na seara pelo esforço dos que para eles trabalham, animando-os com a sua visita, em que nunca faltará uma palavra de estímulo e, às vezes, no melhor dos casos, um gracejo de camarada que, com vontade ou sem ela, fará rir toda a gente. Lilith não falava, a não ser com o olheiro do local, a quem pedia informações sobre o andamento do trabalho e, uma vez ou outra, aparentemente para fazer conversa, sobre a origem dos trabalhadores vindos de fora, por exemplo, este que vai aqui, Não sei donde veio, senhora, quando lho perguntei, é natural que queiramos saber com quem temos de lidar, apontou na direcção do poente e pronunciou duas palavras, nada mais que duas, Que palavras, De além, senhora, Não falou das razões por que deixou a sua terra, Não, senhora, E como se chama ele, Abel, senhora, disse-me que se chama abel, É bom trabalhador, Sim, senhora, é dos que falam pouco, cumpre bem a obrigação, E o sinal que tem na testa, que é aquilo, Também lhe perguntei e ele disse que o recebera de nascença, Portanto, deste abel que veio do poente não sabemos nada, Não é o único, senhora, tirante os que são de cá e mais ou menos conhecemos, o resto são histórias por contar, vagamundos, foragidos, no geral gente de poucas palavras, lá entre eles talvez se confiem uns aos outros, mas nem disso se pode ter a certeza, E o do sinal, como se comporta, Em minha opinião, procede como se desejasse que ninguém reparasse nele, Reparei eu, murmurou lilith falando consigo mesma. Passados uns dias apareceu na pisa do barro um enviado do palácio que perguntou a caim se tinha algum ofício. Caim respondeu-lhe que em tempos fora agricultor e que havia sido obrigado a deixar as suas terras por causa das más colheitas. O enviado levou a informação e voltou ao fim de três dias com uma ordem para que o pisador abel se apresentasse imediatamente no palácio. Tal como se encontrava, com a sua velha túnica manchada e tornada já quase num farrapo, caim, depois de limpar o melhor que pôde as pernas sujas de barro, seguiu o enviado. Entraram no palácio por uma pequena porta lateral que dava para um vestíbulo onde duas mulheres esperavam. Retirou-se o enviado para ir dar parte de que o pisador de barro abel já se encontrava ali e ao cuidado das escravas. Conduzido por elas a um quarto separado, caim foi despido e logo lavado dos pés à cabeça com água tépida. O contacto insistente e minucioso das mãos das mulheres provocou-lhe uma erecção que não pôde reprimir, supondo que tal proeza seria possível. Elas riram e, em resposta, redobraram de atenções para com o órgão erecto, a que, entre novas risadas, chamavam flauta muda, o qual de repente havia saltado nas suas mãos com a elasticidade de uma cobra. O resultado, vistas as circunstâncias, era mais do que previsível, o homem ejaculou de repente, em jorros sucessivos que, ajoelhadas como estavam, as escravas receberam na cara e na boca. Um súbito relâmpago de lucidez iluminou o cérebro de caim, para isto o tinham ido buscar à pisa do barro, mas não para dar gosto a simples escravas que outras satisfações próprias da sua condição deveriam ter. O aviso prudente do olheiro dos alvenéis caíra em cesto roto, caim assentara o pé na armadilha para onde a dona do palácio o viera empurrando suavemente, sem precipitações, quase sem dar por tal, como se estivesse distraída por uma nuvem que passava, a pensar noutra coisa. A demora do golpe final fora propositada para dar tempo a que a semente lançada à terra como por acaso pudesse germinar por si mesma e florescer. Quanto ao fruto, estava claro que já não teria de esperar muito para ser colhido. As escravas pareciam não ter pressa, concentradas agora em extrair as últimas gotas do pénis de caim que levavam à boca na ponta de um dedo, uma após a outra, com delícia. Tudo acaba, porém, tudo tem o seu termo, uma túnica lavada cobriu a nudez do homem, é hora, palavra sobre todas anacrónica nesta bíblica história, de ser conduzido à presença da dona do palácio, que lhe dará destino. O enviado esperava no vestíbulo, um simples olhar bastou-lhe para adivinhar o que se havia passado durante o banho, mas não se escandalizou, é que os enviados, por razões de ofício, vêem muito mundo, não há nada que os surpreenda. Além disso, como já nesta época era sabido, a carne é supinamente fraca, e não tanto por sua culpa, pois o espírito, cujo dever, em princípio, seria levantar uma barreira contra todas as tentações, é sempre o primeiro a ceder, a içar a bandeira branca da rendição. O enviado sabia aonde estava levando o pisador de barro abel, aonde e para quê, mas não o invejava, ao contrário do episódio lúbrico das escravas, que, esse sim, lhe perturbava a circulação do sangue. A entrada no palácio foi, desta vez, pela porta principal porque aqui nada se faz às escondidas, se a dona lilith arranjou um novo amante, melhor é que se saiba já, que não se arme aqui todo um jogo de segredinhos e maledicências, toda uma rede de risotas e murmurações, como infalivelmente sucederia em outras culturas e civilizações. O enviado ordenou a uma escrava que estava esperando do lado de fora da porta da antecâmara, Vai dizer à tua senhora que estamos aqui. A escrava foi e voltou com o recado, Vem comigo, disse para caim, e logo, para o enviado, Tu vai-te, já não és preciso. Assim são as coisas, que ninguém se envaideça por lhe terem confiado uma missão delicada, o mais certo é que depois do trabalho lhe digam, Tu vai-te, já não és preciso, disto sabem os enviados muito. Lilith estava sentada num escabelo de madeira trabalhada, tinha um traje que devia valer um potosí, um vestido que exibia com mínimo recato um decote que deixava ver a primeira curva dos seios e adivinhar o resto. A escrava tinha-se retirado, estavam sós. Lilith lançou ao homem um olhar apreciador, pareceu gostar do que viu e finalmente disse, Estarás sempre nesta antecâmara, de dia e de noite, tens ali o teu catre e um banco para te sentares, serás, até que eu mude de ideias, o meu porteiro, impedirás a entrada de qualquer pessoa, seja quem for, no meu quarto, salvo as escravas que o vêm limpar e arrumar, Seja quem for, senhora, perguntou caim sem aparente intenção, Vejo que és ágil de cabeça, se estás a pensar no meu marido, sim, também esse não está autorizado a entrar, mas ele já o sabe, não tens que lho dizer, E se mesmo assim quiser alguma vez forçar a entrada, És um homem robusto, saberás como impedi-lo, Não posso enfrentar pela força quem, sendo senhor da cidade, é senhor da minha vida, Podes se eu to ordenar, Mais tarde ou mais cedo as consequências cairão sobre a minha cabeça, A isso, meu jovem, ninguém escapa neste mundo, mas, se és covarde, se tens dúvidas ou medo, o remédio é fácil, voltas para o barro, Nunca pensei que pisar barro fosse o meu destino, Também não sei se serás, para sempre, o porteiro do quarto de lilith, Basta que o vá ser neste momento, senhora, Bem dito, só por essas palavras já merecerias um beijo. Caim não respondeu, estava dando atenção à voz do olheiro dos alvenéis, Tem cuidado, diz-se que é uma bruxa, capaz de endoidecer um homem com os seus feitiços. Em que pensas, perguntou lilith, Em nada, senhora, diante de ti não sou capaz de pensar, olho para ti e pasmo, nada mais, Talvez mereças um segundo beijo, Estou aqui, senhora, Mas eu ainda não, porteiro. Levantou-se, ajustou as pregas do vestido fazendo escorregar lentamente as mãos pelo corpo, como se estivesse a acariciar-se a si mesma, primeiro os seios, logo o ventre, depois o princípio das coxas onde se demorou, e tudo isto o fez enquanto olhava o homem fixamente, sem expressão, como uma estátua. As escravas, livres de freios morais, haviam rido de puro contentamento, quase com inocência, enquanto se divertiam a manipular o corpo do homem, haviam participado num jogo erótico de que conheciam todos os preceitos e infracções, ao passo que aqui, nesta antecâmara onde nenhum som exterior penetra, lilith e caim parecem dois esgrimistas que apuram as espadas para um duelo de morte. Lilith já não está, entrou no quarto e fechou a porta, caim olhou em redor e não encontrou outro refúgio que o banco que lhe estava reservado. Ali se foi sentar, de repente assustado com a perspectiva dos dias futuros. Sentia-se prisioneiro, ela mesma dissera, Estarás aqui dia e noite, só não tinha acrescentado, Serás, quando eu assim o decidir, o meu boi de cobrição, palavra esta que parecerá não só grosseira como mal aplicada ao caso, uma vez que, em princípio, cobrição é coisa de animais quadrúpedes, não de seres humanos, mas que muito bem aplicada está porque estes já foram tão quadrúpedes como aqueles, porquanto todos sabemos que o que hoje denominamos braços e pernas foi durante muito tempo tudo pernas, até que alguém se terá lembrado de dizer aos futuros homens, Levantem-se que já é hora. Também caim se pergunta se não será hora de fugir daqui antes que seja demasiado tarde, mas a pergunta é ociosa, de mais sabe ele que não fugirá, dentro daquele quarto há uma mulher que parece desfrutar lançando-lhe sucessivas negaças, mas que um dia destes lhe dirá, Entra, e ele entrará, e, entrando, passará de uma prisão a outra. Não nasci para isto, pensa caim. Também não havia nascido para matar o seu próprio irmão, e apesar disso tinha-o deixado cadáver no meio do campo com os olhos e a boca cobertos de moscas, a ele, abel, que também para isso não nascera. Caim dá voltas à vida na sua cabeça e não lhe encontra explicação, veja-se esta mulher que, não obstante estar enferma de desejo, como é fácil perceber, se compraz em ir adiando o momento da entrega, palavra por outro lado altamente inadequada, porque lilith, quando finalmente abrir as pernas para se deixar penetrar, não estará a entregar-se, mas sim a tratar de devorar o homem a quem disse, Entra.

5

Caim já entrou, já dormiu na cama de lilith, e, por mais incrível que nos pareça, foi a sua própria falta de experiência de sexo que o impediu de se afogar no vórtice de luxúria que num só instante arrebatou a mulher e a fez voar e gritar como possessa. Rangia os dentes, mordia a almofada, logo o ombro do homem, cujo sangue sorveu. Aplicado, caim esforçava-se sobre o corpo dela, perplexo por aqueles desgarros de movimentos e vozes, mas, ao mesmo tempo, um outro caim que não era ele observava o quadro com curiosidade, quase com frieza, a agitação irreprimível dos membros, as contorções do corpo dela e do seu próprio corpo, as posturas que a cópula, ela mesma, solicitava ou impunha, até ao acme dos orgasmos. Não dormiram muito nessa primeira noite os dois amantes. Nem na segunda, nem na terceira, nem em todas as que se seguiram. Lilith era insaciável, as forças de caim pareciam inesgotáveis, insignificante, quase nulo, o intervalo entre duas erecções e respectivas ejaculações, bem poderia dizer-se que estavam, um e outro, no paraíso do alá que há-de ser. Numa noite dessas, noah, o senhor da cidade e marido de lilith, a quem um escravo de confiança levara a notícia de que algo extraordinário se passava ali, entrou na antecâmara. Não era a primeira vez que o fazia. Marido consentidor como os que mais o têm sido, noah, em todo o tempo, como é costume dizer-se, de vida em comum, havia sido incapaz de fazer um filho à mulher e fora justamente a consciência desse contínuo desaire, e talvez também a esperança de que lilith acabasse por engravidar de um amante ocasional e lhe desse finalmente um filho a quem pudesse chamar herdeiro, que o havia levado a adoptar, quase sem se aperceber, essa atitude de condescendência conjugal que, com o tempo, viria a tornar-se em cómoda maneira de viver, só perturbada pelas raríssimas vezes em que lilith, movida pelo que imaginamos ser a tão falada compaixão feminina, decidia ir ao quarto do marido para um fugaz e insatisfatório contacto que a nenhum dos dois comprometia, nem a ele para exigir mais do que lhe era dado, nem a ela para lhe reconhecer esse direito. Nunca, porém, lilith permitiu a noah que entrasse no seu quarto. Neste momento, apesar da porta fechada, a veemência das expansões eróticas dos dois parceiros atingia o pobre homem como sucessivas bofetadas, dando lugar, nele, ao nascimento súbito de um sentimento que não havia experimentado antes, um ódio desmedido ao cavaleiro que montava a égua lilith e a fazia relinchar como nunca. Mato-o, disse consigo noah, sem pensar nas consequências do acto, por exemplo, como iria reagir lilith se lhe matassem o amante preferido. Mato-os, insistia noah, ampliando agora o seu propósito, mato-o a ele e mato-a a ela. Sonhos, fantasias, delírios, noah não matará ninguém e terá ele próprio a sorte de escapar à morte sem fazer nada por isso. Do quarto já não chega agora qualquer som, mas isso não quer dizer que a festa dos corpos tenha terminado, os músicos só estão a descansar um pouco, não tardará que a orquestra ataque o baile seguinte, aquele em que a exaustão sucederá, até à noite seguinte, ao violento paroxismo final. Noah já se retirou, leva os seus projectos de vingança, que acaricia como se afagasse o corpo inacessível de lilith. Veremos como acabará tudo isto.

Depois do que aí ficou descrito, é natural que a alguém lhe ocorra perguntar se caim não andará cansado, espremido até aos tutanos pela insaciável amante. Cansado está, espremido também, e pálido como se estivesse à beira de extinguir-se-lhe a vida. É certo que a palidez não é mais que a consequência da falta de sol, da privação do beneficioso ar livre que faz crescer as plantas e doura a pele da gente. De todo o modo, quem tivesse visto este homem antes de haver entrado no quarto de lilith, todo o seu tempo dividido entre a antecâmara e a cópula, sem dúvida diria, repetindo, sem o saber, as palavras do olheiro dos alvenéis, Está uma sombra, uma verdadeira sombra. Disto mesmo acabou por dar-se conta a principal responsável da situação, Andas com má cara, disse ela, Estou bem, respondeu caim, Estarás, mas a tua cara diz o contrário, Não tem importância, Tem-na, a partir de agora darás um passeio todos os dias, levas um escravo para que ninguém te importune, quero ver-te com a cara que tinhas quando te vi na pisa do barro, Não tenho mais vontade que a tua, senhora. O escravo acompanhante foi escolhido pela própria lilith, mas o que ela não sabia é que se tratava de um agente duplo que, embora ao seu serviço do ponto de vista administrativo, recebia ordens de noah. Temamos portanto o pior. Nas primeiras saídas o passeio não foi perturbado por qualquer incidente, o escravo sempre um passo atrás de caim, sempre atento ao que ele dizia, sugerindo o que achava ser o melhor percurso fora dos muros da cidade. Não havia motivo para preocupações. Até que um dia elas se apresentaram todas juntas na figura de três homens que lhes saltaram ao caminho e com quem, como caim logo percebeu, o escravo traidor fazia quadrilha. Que querem, perguntou caim. Os homens não responderam. Todos vinham armados, de espada aquele que parecia ser o chefe, de punhais os outros. Que querem, tornou a perguntar caim. A resposta foi-lhe dada pelo gládio de repente desembainhado e apontado ao seu peito, Matar-te, disse o homem e avançou, Porquê, perguntou caim, Porque os teus dias foram contados, Não poderás matar-me, disse caim, a marca que levo na testa não to permitirá, Que marca, perguntou o homem que, pelos vistos, era míope, Esta, aqui, indicou caim, Ah, sim, já vejo, o que não vejo é como pode esse sinal evitar que eu te mate, Não é sinal, mas marca, E quem ta fez, tu mesmo, perguntou o outro, Não, o senhor, Que senhor, O senhor deus. O homem deu uma gargalhada a que os restantes, incluindo o escravo infiel, fizeram animado coro. Os que riem chorarão, disse caim, e, para o chefe do grupo, Tens família, perguntou, Para que queres saber, Tens filhos, mulher, pai e mãe vivos, outros parentes, Sim, mas, Não precisarás de matar-me para que eles sofram castigo, interrompeu caim, a espada que tens na mão já os condenou, palavra do senhor, Não julgues que com essas mentiras te vais salvar, gritou o homem e avançou de espada em riste. No mesmo instante a arma transformou-se numa cobra que o homem sacudiu da mão horrorizado, Aí tens, disse caim, sentiste uma cobra e era uma espada. Baixou-se e tomou a arma pelo punho, Poderia matar-te agora mesmo, que ninguém viria em teu auxílio, disse, os teus companheiros fugiram, o traidor que vinha comigo também, Perdoa-me, implorou o homem pondo-se de joelhos, Só o senhor poderia perdoar-te se quisesse, eu não, vai-te, terás em casa o pago da tua vileza. O homem afastou-se de cabeça baixa, chorando, arrepelando-se, mil vezes repeso de haver escolhido a profissão de salteador de caminhos na variante de assassino. Repetindo os passos que havia dado na primeira vez, caim voltou à cidade. Tal como então, ao virar uma esquina encontrou-se de frente com o velho e as duas cabras atadas com um baraço. Mudaste muito, não pareces nada o vagabundo que veio do poente nem um pisador de barro, disse ele, Sou porteiro, respondeu caim, e prosseguiu o seu caminho, Porteiro de que porta, perguntou o velho em tom que queria ser de escárnio, mas que soava a despeito, Se o sabes, não te canses a perguntar, Faltam-me os pormenores, nos pormenores é que está o sal, Enforca-te com eles, baraço já o tens, rematou caim, será a melhor maneira de não voltar a ver-te. O velho ainda gritou, Ver-me-ás até ao fim dos teus dias, Os meus dias não terão fim, respondeu caim já longe, entretanto cuida que as ovelhas não comam o baraço, Para isso estou, mas elas não pensam noutra coisa.

Lilith não se encontrava no quarto, estaria na açoteia, nua como era seu costume, a tomar o sol. Sentado no seu único banco, caim fez um balanço, uma revisão do que havia sucedido. Era evidente que o escravo o levara propositadamente por aquele caminho ao encontro dos bandidos que faziam a espera, alguém, portanto, teria elaborado o plano para lhe acabar com a vida. Adivinhar quem fosse o que poderemos hoje designar como autor intelectual do frustrado atentado não era nada difícil. Noah, disse caim, foi ele, ninguém mais no palácio e na cidade teria interesse no meu desaparecimento. Foi neste momento que lilith entrou na antecâmara, Durou pouco o teu passeio, disse. Uma fina camada de suor lhe fazia brilhar a pele dos ombros, estava apetitosa como uma romã madura, como um figo a que já se lhe houvesse rachado a casca e deixasse sair a primeira gota de mel.

A caim ainda lhe passou pela cabeça arrastá-la para a cama, mas desistiu da ideia, havia neste momento assuntos sérios a tratar, talvez mais tarde. Tentaram matar-me, disse, Matar-te, quem, perguntou lilith, sobressaltada, O escravo que mandaste comigo e uns bandidos contratados, Que se passou, conta-me, O escravo levou-me por um caminho fora da cidade, o assalto foi aí, Fizeram-te mal, feriram-te, Não, Como conseguiste livrar-te deles, perguntou lilith, A mim não se me pode matar, disse caim serenamente, Serás tu a única pessoa a crê-lo neste mundo, Assim é. Houve um silêncio que caim interrompeu, Não me chamo abel, disse, o meu nome é caim, Gosto mais desse que do outro, disse lilith fazendo um esforço para manter a conversa num tom ligeiro, propósito que caim desfez no instante seguinte, Abel era o nome do meu irmão, a quem matei porque o senhor me havia preterido em favor dele, tomei o seu nome para ocultar a minha identidade, Aqui não nos importaria nada que fosses caim ou abel, a notícia do teu crime nunca cá chegou, Sim, hoje compreendo isso, Conta-me então o que se passou, Não tens medo de mim, não te repugno, perguntou caim, És o homem que escolhi para a minha cama e com quem estarei deitada daqui a pouco. Então caim abriu a arca dos segredos e relatou o dramático sucesso com todos os pormenores, não esquecendo as moscas nos olhos e na boca de abel, também as palavras ditas pelo senhor, o enigmático compromisso por ele assumido de o proteger de uma morte violenta, Não me perguntes, disse caim, por que o fez, não mo disse e não creio que seja coisa que se possa explicar, A mim basta-me que estejas vivo e nos meus braços, disse lilith, Vês em mim um criminoso a quem nunca se poderá perdoar, perguntou caim, Não, respondeu ela, vejo em ti um homem a quem o senhor ofendeu, e, agora que já sei como realmente te chamas, vamos para a cama, arderei aqui mesmo de desejo se não me acodes, foste o abel que conheci entre os meus lençóis, agora és o caim que me falta conhecer. Quando o desvario das repetidas e variadas penetrações deu lugar à lassidão, ao abandono total dos corpos, lilith disse, Foi noah, Creio que sim, creio que terá sido noah, concordou caim, não encontro outra pessoa no palácio e na cidade que pudesse desejar, tanto como ele, ver-me morto, Quando nos levantarmos, disse lilith, chamá-lo-ei aqui, ouvirás o que tenho para lhe dizer. Dormiram um pouco para dar satisfação aos membros cansados, acordaram quase ao mesmo tempo e lilith, já a pé, disse, Deixa-te estar deitado, ele não entrará. Chamou uma escrava para a ajudar a vestir-se e depois, pela mesma escrava, enviou recado a noah para lhe vir falar. Sentou-se na antecâmara à espera e, quando o marido entrou, disse sem preâmbulos, Mandarás matar o escravo que me deste para acompanhar caim no seu passeio, Quem é caim, perguntou noah surpreendido pela novidade, Caim foi abel, agora é caim, aos homens que estiveram na emboscada matá-los-ás também, Onde está caim, já que passou a ser esse o seu nome, A salvo, no meu quarto. O silêncio tornou-se palpável. Por fim, noah disse, Não tive nada que ver com o que dizes ter acontecido, Cuidado, noah, mentir é a pior das cobardias, Não estou a mentir, És cobarde e estás a mentir, foste tu quem industriou o escravo sobre o que deveria fazer, e onde e como, esse mesmo escravo que, aposto, te tem servido de espião dos meus actos, ocupação em verdade escusada porque o que faço, faço-o às claras, Sou teu marido, devias respeitar-me, É possível que tenhas razão, realmente deveria respeitar-te, Então de que estás à espera, perguntou noah fingindo uma irritação que, apavorado pela acusação, estava longe de sentir, Não estou à espera de nada, não te respeito, simplesmente, Sou mau amante, não te fiz o filho que querias, é isso, perguntou ele, Poderias ser um amante de primeira classe, poderias ter-me feito não um filho, mas dez, e, ainda assim, não te respeitaria, Porquê, Vou pensar no assunto, logo que tiver descoberto as razões por que não sinto o menor respeito por ti mandar-te-ei chamar, prometo que serás o primeiro a sabê-las, e agora peço-te que te retires, estou fatigada, preciso de descansar. Noah já se afastava, mas ela ainda lançou, Uma coisa mais, quando tiveres caçado esse maldito traidor, e espero que não tardes demasiado, é um conselho que te estou a dar, avisa-me para que vá assistir à sua morte, os outros não me interessam, Assim farei, disse noah e pôs o pé no limiar da porta, ainda a tempo de ouvir as últimas palavras da mulher, E, em caso de haver tortura, quero estar presente. Regressada ao quarto, lilith perguntou a caim, Ouviste, Sim, Que te pareceu, Não há dúvida, foi ele quem mandou matar-me, nem sequer foi capaz de reagir como o faria um inocente. Lilith meteu-se na cama, mas não se chegou a caim. Estava deitada de costas, com os olhos muito abertos fitando o tecto, e de repente disse, Tive uma ideia, Qual, Matar noah, Isso é uma loucura, um disparate sem pés nem cabeça, protestou caim, expulsa esse absurdo do teu ânimo, por favor, Absurdo, porquê, ficaríamos livres dele, casaríamos, tu serias o novo senhor da cidade e eu a tua rainha e a tua escrava preferida, aquela que beijaria o chão por onde tu passasses, aquela que, se fosse necessário, receberia nas suas mãos as tuas fezes, E quem o mataria, Tu, Não, lilith, não mo peças, não mo ordenes, já tenho a minha parte de assassínios, Não o farias por mim, não me amas, perguntou ela, entreguei-te o meu corpo para que o gozasses sem conta, nem peso, nem medida, para que desfrutasses dele sem regras nem proibições, abri-te as portas do meu espírito antes trancadas, e recusas-te a fazer algo que te peço e que nos traria a liberdade plena, Liberdade, sim, e remorso também, Não sou mulher para remorsos, isso é coisa para fracos, para débeis, eu sou lilith, E eu sou apenas um caim qualquer que veio de longe, um matador do seu irmão, um pisador de barro que, sem ter feito nada para o merecer, teve a sorte de dormir na cama da mulher mais bela e mais ardente do mundo, a quem ama, quer e deseja em cada poro do seu corpo, Não mataremos então a noah, perguntou lilith, Se estás tão empenhada nisso, manda um escravo, Não desprezo tanto a noah ao ponto de o mandar matar por um escravo, Escravo sou eu e querias que o matasse, Seria diferente, não é escravo aquele que se deita na minha cama, ou talvez o seja, mas de mim e do meu corpo, E por que não o matas tu, perguntou caim, Creio que, apesar de tudo, não seria capaz, Homens que matam mulheres é coisa de todos os dias, matando-o tu talvez inaugurasses uma nova época, Outras que o façam, eu sou lilith, a louca, a desvairada, mas os meus erros e os meus crimes por aí se ficam, Então deixemo-lo viver, já lhe bastará o castigo de saber que nós sabemos que me quis matar, Abraça-me, calca-me aos teus pés, pisador de barro. Caim abraçou-a, mas entrou nela suavemente, sem violência, com uma doçura inesperada que quase a levou às lágrimas. Duas semanas depois lilith anunciou que estava grávida.

Qualquer um diria que a paz social e a paz doméstica reinavam finalmente no palácio, a todos envolvendo no mesmo amplexo fraternal. Não era assim, decorridos alguns dias caim havia chegado à conclusão de que, agora que lilith estava à espera de um filho, o seu tempo terminara. Quando a criança viesse ao mundo seria para toda a gente o filho de noah, e se ao princípio não iriam faltar as mais justificadas suspeitas e murmurações, o tempo, esse grande igualador, se encarregaria de limar umas e outras, sem contar que os futuros historiadores tomariam a seu cuidado eliminar da crónica da cidade qualquer alusão a um certo pisador de barro chamado abel, ou caim, ou como diabo fosse o seu nome, dúvida esta que, só por si, já seria considerada razão suficiente para o condenar ao esquecimento, em definitiva quarentena, assim supunham eles, no limbo daqueles sucessos que, para tranquilidade das dinastias, não é conveniente arejar. Este nosso relato, embora não tendo nada de histórico, demonstra a que ponto estavam equivocados ou eram mal-intencionados os ditos historiadores, caim existiu mesmo, fez um filho à mulher de noah, e agora tem um problema para resolver, como informar lilith de que é seu desejo partir. Confiava que a condenação ditada pelo senhor, Andarás errante e perdido pelo mundo, pudesse convencê-la a aceitar a sua decisão de ir-se. Afinal, foi menos difícil do que esperava, talvez também porque essa criança, formada por não mais que um punhado de células titubeantes, exprimisse já um querer e uma vontade, o primeiro efeito dos quais tivesse sido reduzir a louca paixão dos pais a um vulgar episódio de cama a que, como já sabemos, a história oficial nem sequer irá dedicar uma linha. Caim pediu a lilith um jumento e ela deu ordens para que lhe fosse entregue o melhor, o mais dócil, o mais robusto que houvesse nas estrebarias do palácio. E nisto se estava quando correu pela cidade a notícia de que o escravo traidor e os seus comparsas haviam sido descobertos e presos. Felizmente para as pessoas sensíveis, dessas que sempre apartam os olhos dos espectáculos incómodos, sejam eles de que natureza forem, não houve interrogatórios nem torturas, o que talvez se tivesse devido à gravidez de lilith, pois, segundo a opinião de abalizadas autoridades locais, poderiam ser de mau agoiro para o futuro da criança em gestação, não só o sangue que inevitavelmente se derramaria, mas também os desabalados gritos dos torturados. Disseram essas autoridades, em geral parteiras de longa experiência, que os bebés, dentro das barrigas das mães, ouvem tudo quanto se passa cá fora. O resultado foi uma sóbria execução por enforcamento perante toda a população da cidade, como um aviso, Atenção, isto é o mínimo que vos pode suceder a todos. De um balcão do palácio assistiram ao acto punitivo noah, lilith e caim, este como vítima do frustrado assalto. Foi notado que, ao contrário do que determinaria o protocolo, não era noah quem ocupava o centro do pequeno grupo, mas sim lilith, que desta maneira separava o marido do amante, como se dissesse que, embora não amando o esposo oficial, a ele se manteria ligada porque assim o parecia desejar a opinião pública e o necessitavam os interesses da dinastia, e que, sendo obrigada pelo cruel destino, Andarás errante e perdido pelo mundo, a deixar partir caim, a ele iria continuar unida pela sublime memória do corpo, pela recordação inapagável das fulgurantes horas que havia passado com ele, isto uma mulher nunca o esquece, não como os homens, a quem tudo lhes escorre pela pele. Os cadáveres dos facinorosos ficarão pendurados ali mesmo onde se encontram até que deles não restem mais que os ossos, pois a sua carne é maldita, e a terra, se nela fossem sepultados, se revolveria em transe até vomitá-los, uma e muitas vezes. Nessa noite, lilith e caim dormiram juntos pela última vez. Ela chorou, ele abraçou-se a ela e chorou também, mas as lágrimas não duraram muito, daí a nada a paixão erótica tomava conta deles, e, governando-os, novamente os desgovernou até ao delírio, até ao absoluto, como se o mundo não fosse mais do que isto, dois amantes que um ao outro interminavelmente se devoravam, até que lilith disse, Mata-me. Sim, talvez devesse ser este o fim lógico da história dos amores de caim e lilith, mas ele não a matou. Beijou-a longamente nos lábios, depois levantou-se, olhou-a uma vez mais e foi acabar a noite na cama do porteiro.

6

Apesar da obscuridade cinzenta da antemanhã, via-se que os pássaros, não as amáveis criaturas aladas que já não tardarão muito tempo a soltar ao sol os seus cantos, mas as brutas aves de rapina, essas carnívoras que viajam de patíbulo em patíbulo, tinham começado o seu trabalho de limpeza pública nas partes expostas dos enforcados, as caras, os olhos, as mãos, os pés, a meia perna que a túnica não alcançava cobrir. Duas corujas, alarmadas pelo ruído das patas do jumento, alçaram voo dos ombros do escravo, num ténue rumor de seda só perceptível por ouvidos experientes. Introduziram-se em voo raso por uma viela estreita, ao lado do palácio, e desapareceram. Caim tocou o jumento com os calcanhares, atravessou a praça, pensando se também agora iria encontrar o velho com as duas cabras atadas por um baraço, e, pela primeira vez, perguntou-se quem seria a impertinente personagem, Talvez fosse o senhor, muito capaz disso é ele, com aquele gosto de aparecer de repente em qualquer parte, murmurou. Não queria pensar em lilith. Quando na sua desolada cama de porteiro despertou de um sono sobressaltado, constantemente interrompido, um súbito impulso quase o tinha levado a entrar no quarto para uma última palavra de despedida, para um último beijo, e quem sabe o que poderia suceder mais. Ainda estava a tempo. No palácio dormem, só lilith de certeza estará desperta, ninguém daria pela rápida incursão, ou talvez as duas escravas que lhe haviam entreaberto as portas do paraíso à chegada, e elas diriam, sorrindo, Que bem te entendemos, abel. Depois de virar a próxima esquina deixaria de ver o palácio. O velho das ovelhas não estava ali, o senhor, se era ele, dava-lhe carta branca, mas nem um mapa de estradas, nem um passaporte, nem recomendações de hotéis e restaurantes, uma viagem como as que se faziam antigamente, à ventura, ou, como já então se dizia, ao deus-dará. Caim tocou outra vez o jumento e em pouco tempo encontrou-se em campo aberto. A cidade tornara-se numa mancha parda que, aos poucos, pela distância que ia aumentando, apesar do passo medido do asno, parecia afundar-se no chão. A paisagem era seca, árida, sem um fio de água à vista. Diante desta desolação era inevitável que caim recordasse a dura caminhada feita depois de o senhor o ter expulsado do fatídico vale onde o pobre abel para sempre ficara. Sem nada para comer, sem uma sede de água salvo aquela que, por milagre, veio a cair finalmente do céu quando as forças da alma já de todo minguavam e as pernas ameaçavam ir-se abaixo a cada passo. Ao menos, desta vez não lhe faltará comida, os alforges vêm cheios até à boca, lembrança amorosa de lilith que, pelo visto, não nos saiu tão má dona de casa como pelos seus dissolutos costumes poderia pensar-se. O mal é que em todo o redor da paisagem não se vê ao menos uma sombra aonde acudir. A meio da manhã o sol já é puro fogo e o ar uma tremulina que nos faz duvidar do que os nossos olhos vêem. Caim disse, Melhor, assim não precisarei de desmontar para comer. O caminho subia e subia, e o jumento, que, bem vistas as coisas, de burro não tinha nada, avançava aos ziguezagues, ora para cá, ora para lá, supõe-se que devia ter aprendido o genial truque com as mulas, que nesta matéria de ascensões alpinas a sabem toda. Uns quantos passos mais e a subida acabou. E então, ó surpresa, ó pasmo, ó estupefacção, a paisagem que caim tinha agora diante de si era completamente diferente, verde de todos os verdes alguma vez vistos, com árvores frondosas e cultivos, reflexos de água, uma temperatura suave, nuvens brancas boiando no céu. Olhou para trás, a mesma aridez de antes, a mesma secura, ali nada havia mudado. Era como se existisse uma fronteira, um traço a separar dois países, Ou dois tempos, disse caim sem consciência de havê-lo dito, o mesmo que se alguém o estivesse pensando em seu lugar. Levantou a cabeça para olhar o céu e viu que as nuvens que se moviam na direcção donde viemos se detinham na vertical do chão e logo desapareciam por desconhecidas artes. Há que levar em consideração o facto de caim estar mal informado sobre questões cartográficas, poderia mesmo dizer-se que esta, de certo modo, é a sua primeira viagem ao estrangeiro, portanto é natural surpreender-se, outra terra, outra gente, outros céus e outros costumes. Bem, tudo isso pode ser certo, mas o que ninguém me explica é a razão de as nuvens não poderem passar de lá para cá. A não ser, diz a voz que fala pela boca de caim, que o tempo seja outro, que esta paisagem cuidada e trabalhada pela mão do homem tivesse sido, em épocas passadas, tão estéril e desolada como a terra de nod. Então estamos no futuro, perguntamos nós, é que temos visto por aí uns filmes que tratam do assunto, e uns livros também. Sim, essa é a fórmula comum para explicar algo como o que aqui parece ter sucedido, o futuro, dizemos nós, e respiramos tranquilos, já lhe pusemos o rótulo, a etiqueta, mas, em nossa opinião, entender-nos-íamos melhor se lhe chamássemos outro presente, porque a terra é a mesma, sim, mas os presentes dela vão variando, uns são presentes passados, outros presentes por vir, é simples, qualquer pessoa perceberá. Quem dá mostras da mais profunda alegria é o jumento. Nascido e criado em terras de sequeiro, alimentado a palha e a cardos, com a água racionada ou quase, a visão que se lhe oferecia tocava o sublime. Pena não haver ali alguém que soubesse interpretar os movimentos das suas orelhas, essa espécie de telégrafo de bandeiras com que a natureza o dotara, sem pensar o afortunado bicho que chegaria o dia em que quereria expressar o inefável, e o inefável, como sabemos, é precisamente o que está para lá de qualquer possibilidade de expressão. Feliz vai também caim, já a sonhar com um almoço no campo, entre verduras, fugidios carreirinhos de água e passarinhos a sinfonizar nas ramagens. À mão direita do caminho, além, vê-se uma fila de árvores de bom porte que promete a melhor das sombras e das sestas. Para lá tocou caim o jumento. O sítio parecia ter sido inventado de propósito para refrigério de viajantes fatigados e respectivas bestas de carga. Paralela às árvores havia uma fileira de arbustos tapando o carreiro estreito que subia em direcção ao teso da colina. Aliviado do peso dos alforges, o jumento tinha-se entregado às delícias da erva fresca e de alguma rústica flor tresmalhada, sabores estes que jamais lhe tinham passado pela goela. Caim escolheu tranquilamente a ementa e ali mesmo comeu, sentado no chão, rodeado de inocentes pássaros que debicavam as migalhas, enquanto as recordações dos bons momentos vividos nos braços de lilith voltavam a aquecer-lhe o sangue. Já as pálpebras tinham começado a pesar-lhe quando uma voz juvenil, de rapaz, o fez sobressaltar, Ó pai, chamou o moço, e logo uma outra voz, de adulto de certa idade, perguntou, Que queres tu, isaac, Levamos aqui o fogo e a lenha, mas onde está a vítima para o sacrifício, e o pai respondeu, O senhor há-de prover, o senhor há-de encontrar a vítima para o sacrifício. E continuaram a subir a encosta. Ora, enquanto sobem e não sobem, convém saber como isto começou para comprovar uma vez mais que o senhor não é pessoa em quem se possa confiar. Há uns três dias, não mais tarde, tinha ele dito a abraão, pai do rapazito que carrega às costas o molho de lenha, Leva contigo o teu único filho, isaac, a quem tanto queres, vai à região do monte mória e oferece-o em sacrifício a mim sobre um dos montes que eu te indicar. O leitor leu bem, o senhor ordenou a abraão que lhe sacrificasse o próprio filho, com a maior simplicidade o fez, como quem pede um copo de água quando tem sede, o que significa que era costume seu, e muito arraigado. O lógico, o natural, o simplesmente humano seria que abraão tivesse mandado o senhor à merda, mas não foi assim. Na manhã seguinte, o desnaturado pai levantou-se cedo para pôr os arreios no burro, preparou a lenha para o fogo do sacrifício e pôs-se a caminho para o lugar que o senhor lhe indicara, levando consigo dois criados e o seu filho isaac. No terceiro dia da viagem, abraão viu ao longe o lugar referido. Disse então aos criados, Fiquem aqui com o burro que eu vou até lá adiante com o menino, para adorarmos o senhor e depois voltamos para junto de vocês. Quer dizer, além de tão filho da puta como o senhor, abraão era um refinado mentiroso, pronto a enganar qualquer um com a sua língua bífida, que, neste caso, segundo o dicionário privado do narrador desta história, significa traiçoeira, pérfida, aleivosa, desleal e outras lindezas semelhantes. Chegando assim ao lugar de que o senhor lhe tinha falado, abraão construiu um altar e acomodou a lenha por cima dele. Depois atou o filho e colocou-o no altar, deitado sobre a lenha. Acto contínuo, empunhou a faca para sacrificar o pobre rapaz e já se dispunha a cortar-lhe a garganta quando sentiu que alguém lhe segurava o braço, ao mesmo tempo que uma voz gritava, Que vai você fazer, velho malvado, matar o seu próprio filho, queimá-lo, é outra vez a mesma história, começa-se por um cordeiro e acaba-se por assassinar aquele a quem mais se deveria amar, Foi o senhor que o ordenou, foi o senhor que o ordenou, debatia-se abraão, Cale-se, ou quem o mata aqui sou eu, desate já o rapaz, ajoelhe e peça-lhe perdão, Quem é você, Sou caim, sou o anjo que salvou a vida a isaac. Não, não era certo, caim não é nenhum anjo, anjo é este que acabou de pousar com um grande ruído de asas e que começou a declamar como um actor que tivesse ouvido finalmente a sua deixa, Não levantes a mão contra o menino, não lhe faças nenhum mal, pois já vejo que és obediente ao senhor, disposto, por amor dele, a não poupar nem sequer o teu filho único, Chegas tarde, disse caim, se isaac não está morto foi porque eu o impedi. O anjo fez cara de contrição, Sinto muito ter chegado atrasado, mas a culpa não foi minha, quando vinha para cá surgiu-me um problema mecânico na asa direita, não sincronizava com a esquerda, o resultado foram contínuas mudanças de rumo que me desorientavam, na verdade vi-me em papos-de-aranha para chegar aqui, ainda por cima não me tinham explicado bem qual destes montes era o lugar do sacrifício, se cá cheguei foi por um milagre do senhor, Tarde, disse caim, Vale mais tarde que nunca, respondeu o anjo com prosápia, como se tivesse acabado de enunciar uma verdade primeira, Enganas-te, nunca não é o contrário de tarde, o contrário de tarde é demasiado tarde, respondeu-lhe caim. O anjo resmungou, Mais um racionalista, e, como ainda não tinha terminado a missão de que havia sido encarregado, despejou o resto do recado, Eis o que mandou dizer o senhor, Já que foste capaz de fazer isto e não poupaste o teu próprio filho, juro pelo meu bom nome que te hei-de abençoar e hei-de dar-te uma descendência tão numerosa como as estrelas do céu ou como as areias da praia e eles hão-de tomar posse das cidades dos seus inimigos, e mais, através dos teus descendentes se hão-de sentir abençoados todos os povos do mundo, porque tu obedeceste à minha ordem, palavra do senhor. Estas, para quem não o saiba ou finja ignorá-lo, são as contabilidades duplas do senhor, disse caim, onde uma ganhou, a outra não perdeu, fora isso não compreendo como irão ser abençoados todos os povos do mundo só porque abraão obedeceu a uma ordem estúpida, A isso chamamos nós no céu obediência devida, disse o anjo. Coxeando da asa direita, com um mau sabor de boca pelo fracasso da sua missão, a celestial criatura foi-se embora, abraão e o filho também já lá vão a caminho do lugar onde os esperam os criados, e agora, enquanto caim ajeita os alforges no lombo do jumento, imaginemos um diálogo entre o frustrado verdugo e a vítima salva in extremis. Perguntou isaac, Pai, que mal te fiz eu para teres querido matar-me, a mim que sou o teu único filho, Mal não me fizeste, isaac, Então por que quiseste cortar-me a garganta como se eu fosse um borrego, perguntou o moço, se não tivesse aparecido aquele homem para segurar-te o braço, que o senhor o cubra de bênçãos, estarias agora a levar um cadáver para casa, A ideia foi do senhor, que queria tirar a prova, A prova de quê, Da minha fé, da minha obediência, E que senhor é esse que ordena a um pai que mate o seu próprio filho, É o senhor que temos, o senhor dos nossos antepassados, o senhor que já cá estava quando nascemos, E se esse senhor tivesse um filho, também o mandaria matar, perguntou isaac, O futuro o dirá, Então o senhor é capaz de tudo, do bom, do mau e do pior, Assim é, Se tu tivesses desobedecido à ordem, que sucederia, perguntou isaac, O costume do senhor é mandar a ruína, ou uma doença, a quem lhe falhou, Então o senhor é rancoroso, Acho que sim, respondeu abraão em voz baixa, como se temesse ser ouvido, ao senhor nada é impossível, Nem um erro ou um crime, perguntou isaac, Os erros e os crimes sobretudo, Pai, não me entendo com esta religião, Hás-de entender-te, meu filho, não terás outro remédio, e agora devo fazer-te um pedido, um humilde pedido, Qual, Que esqueçamos o que se passou, Não sei se serei capaz, meu pai, ainda me vejo deitado em cima da lenha, amarrado, e o teu braço levantado, com a faca a luzir, Não era eu quem estava ali, em meu perfeito juízo nunca o faria, Queres dizer que o senhor enlouquece as pessoas, perguntou isaac, Sim, muitas vezes, quase sempre, respondeu abraão, Fosse como fosse, quem tinha a faca na mão eras tu, O senhor havia organizado tudo, no último momento interviria, viste o anjo que apareceu, Chegou atrasado, O senhor teria encontrado outra maneira de te salvar, provavelmente até sabia que o anjo se ia atrasar e por isso fez aparecer aquele homem, Caim se chama ele, não esqueças o que lhe deves, Caim, repetiu abraão obediente, conheci-o ainda não eras nascido, O homem que salvou o teu filho de ser degolado e queimado no molho de lenha que ele próprio havia trazido às costas, Não o foste, meu filho, Pai, a questão, embora a mim me importe muito, não é tanto ter eu morrido ou não, a questão é sermos governados por um senhor como este, tão cruel como baal, que devora os seus filhos, Onde foi que ouviste esse nome, A gente sonha, pai. Estou a sonhar, disse também caim quando abriu os olhos. Havia adormecido em cima do jumento e de repente despertou. Estava no meio de uma paisagem diferente, com algumas árvores raquíticas dispersas e tão seca como a terra de nod, porém seca de areia, não de cardos. Outro presente, disse. Pareceu-lhe que este devia ser mais antigo que o anterior, aquele em que havia salvo a vida ao rapazito chamado isaac, e isto mostrava que tanto poderia avançar como voltar atrás no tempo, e não por vontade própria, pois, para falar francamente, sentia-se como alguém que mais ou menos, só mais ou menos, sabe onde está, mas não aonde se dirige. Este lugar, apenas para dar um exemplo das dificuldades de orientação que caim vem enfrentando, tinha todo o aspecto de ser um presente há muito passado, como se o mundo ainda se encontrasse nas últimas fases de construção e tudo tivesse um aspecto provisório. Lá longe, vinda mesmo a propósito, na beirinha do horizonte, distinguia-se uma torre altíssima com a forma de um cone truncado, isto é, uma forma cónica a que tivessem cortado a parte superior ou que ainda lá não tivesse sido colocada. A distância era grande, mas a caim, que tinha excelente vista, pareceu-lhe que havia gente movendo-se ao redor do edifício. A curiosidade fê-lo tocar as ilhargas do animal para que acelerasse o passo, mas logo a prudência o obrigou a diminuir o andamento. Não tinha a certeza de que se tratasse de gente pacífica, e, mesmo que o fosse, sabe-se lá o que poderia acontecer a um burro carregado com dois alforges de alimentos da melhor qualidade diante de uma multidão de pessoas por necessidade e tradição dispostas a devorar tudo quanto lhes aparecesse pela frente. Não as conhecia, não sabia quem eram, mas não seria nada difícil imaginar. O que também não podia era deixar ali o jumento, atado a uma destas árvores como algo sem préstimo, pois se arriscaria a não encontrar à volta nem burro nem comida. A cautela mandava que tomasse outro caminho, que se deixasse de aventuras, enfim, para tudo dizer numa palavra, que não desafiasse o cego destino. A curiosidade, porém, teve mais poder que a cautela. Disfarçou o melhor que foi capaz a boca dos alforges com ramas de árvores como se de comida para o animal se tratasse e, alea jacta est, rumou em direcção à torre. À medida que se aproximava, o rumor das vozes, primeiro ténue, ia crescendo e crescendo até se transformar em perfeita algazarra. Parecem malucos, doidos varridos, pensou caim. Sim, estavam doidos de desesperação porque falavam e não conseguiam entender-se, como se estivessem surdos e gritassem cada vez mais alto, inutilmente. Falavam línguas diferentes e em alguns casos riam-se e troçavam uns dos outros como se a língua de cada qual fosse mais harmoniosa e mais bela que as dos demais. O curioso do caso, e isto ainda não o sabia caim, é que nenhuma dessas línguas havia existido antes no mundo, todos os que aqui se encontram falavam de raiz um só idioma lá na sua terra e compreendiam-se sem a menor dificuldade. A sorte foi ter dado logo com um homem que falava hebraico, língua que lhe tinha calhado em sorte no meio da confusão criada e que caim já ia conhecendo, com gente a expressar-se, sem dicionários nem intérpretes, em inglês, em alemão, em francês, em espanhol, em italiano, em eusquera, alguns em latim e grego, e mesmo, quem o imaginaria, em português. Que desacordo foi esse, perguntou caim, e o homem respondeu, Quando nós viemos do oriente para assentar-nos aqui falávamos todos a mesma língua, E como se chamava ela, quis saber caim, Como era a única que havia não precisava de nome, era a língua, e mais nada, Que aconteceu depois, Alguém teve a ideia de fazer tijolos e cozê-los ao forno, E como os faziam, perguntou o antigo pisador de barro sentindo que estava com a sua gente, Como sempre os havíamos feito, com barro, areia e pedrinhas miúdas, para argamassa usámos o betume, E depois, Depois decidimos construir uma cidade com uma grande torre, essa que aí está, uma torre que chegasse ao céu, Para quê, perguntou caim, Para ficarmos famosos, E que aconteceu, por que está a construção parada, Porque o senhor veio vê-la e não gostou, Chegar ao céu é o desejo de todo o homem justo, o senhor até deveria dar uma ajuda à obra, Era bom, era, mas não foi assim, Então que fez ele, Disse que depois de nos termos posto a fazer a torre ninguém mais nos poderia impedir de fazer o que quiséssemos, por isso confundiu-nos as línguas e a partir daí, como vês, deixámos de entender-nos, E agora, perguntou caim, Agora não haverá cidade, a torre não será terminada e nós, cada um com a sua língua, não poderemos viver juntos como até agora, À torre, o melhor será deixá-la ficar como recordação, tempo será em que se farão em toda a parte excursões para vir ver as ruínas, Provavelmente nem ruínas haverá, está aí quem ouviu dizer ao senhor que, quando já cá não estivéssemos, mandaria um grande vento para destruí-la, e o que o senhor diz, faz, O ciúme é o seu grande defeito, em vez de ficar orgulhoso dos filhos que tem, preferiu dar voz à inveja, está claro que o senhor não suporta ver uma pessoa feliz, Tanto trabalho, tanto suor, para nada, Que pena, disse caim, daria uma bonita obra, Pois, disse o homem, agora com os olhos gulosos fitos no burro. Teria sido para ele uma conquista fácil se pedisse o auxílio dos companheiros, mas o egoísmo pôde mais que a inteligência. Quando esboçou um movimento para deitar a mão ao cabresto, o jumento, aquele mesmo que havia saído das cavalariças de noah com reputação de dócil, fez uma espécie de passo de baile com as patas da frente e, virando os quartos traseiros, disparou uma parelha de coices que atirou com o pobre diabo de pantanas. Embora tivesse actuado em legítima defesa, o jumento teve imediatamente a consciência de que as suas boas razões não seriam admitidas pela massa que, bradando em todas as línguas havidas e por haver, avançava para saquear os alforges e transformá-lo a ele em almôndegas. Sem precisar do estímulo dos calcanhares do cavaleiro arrancou num trote vivo e logo num galope em tudo inesperados, vista a sua natureza asinina, de animal seguro mas a quem, em princípio, não se podia pedir pressa. Os assaltantes tiveram de resignar-se a vê-lo desaparecer no meio de uma nuvem de pó, a qual viria a ter ainda outra importante consequência, a de fazer passar caim e a sua montada a outro presente futuro neste mesmo lugar, mas limpo dos ousados rivais do senhor, dispersos pelo mundo porque já não tinham uma língua comum que os mantivesse unidos. Imponente, majestosa, a torre lá estava, na beirinha do horizonte, ainda que inacabada parecia capaz de desafiar os séculos e os milénios, mas, de repente, estava e deixou de estar. Cumpria-se o que o senhor havia anunciado, que enviaria um grande vento que não deixaria pedra sobre pedra nem tijolo sobre tijolo. A distância não permitia a caim perceber a violência do furacão soprado pela boca do senhor nem o estrondo dos muros desabando uns após outros, os pilares, as arcadas, as abóbadas, os contrafortes, por isso a torre parecia desmoronar-se em silêncio, como um castelo de cartas, até que tudo acabou numa enorme nuvem de poeira que subia para o céu e não deixava ver o sol. Muitos anos depois se dirá que caiu ali um meteorito, um corpo celeste, dos muitos que vagueiam pelo espaço, mas não é verdade, foi a torre de babel, que o orgulho do senhor não consentiu que terminássemos. A história dos homens é a história dos seus desentendimentos com deus, nem ele nos entende a nós, nem nós o entendemos a ele.

7

    Escrito estava nas tábuas do destino que caim haveria de reencontrar abraão. Um dia, por ocasião de uma dessas súbitas mudanças de presente que o faziam viajar no tempo, ora para a frente ora para trás, caim encontrou-se diante de uma tenda, à hora de maior calor, junto das azinheiras de mambré. Tinha-lhe parecido entrever um ancião que lhe recordava vagamente uma pessoa. Para ter a certeza chamou à porta da tenda e então apareceu abraão. Procuras alguém, perguntou ele, Sim e não, estou só de passagem, pareceu-me reconhecer-te e não me enganei, como está teu filho isaac, eu sou caim, Estás enganado, o único filho que tenho chama-se ismael, não isaac, e ismael é o filho que fiz à minha escrava agar. O vivo espírito de caim, já treinado nestas situações, iluminou-se de repente, o jogo dos presentes alternativos havia manipulado o tempo uma vez mais, mostrara-lhe antes o que só viria a acontecer depois, isto é, por palavras que se querem mais simples e explícitas, o tal isaac ainda não tinha nascido. Não me lembro de alguma vez te ter visto, disse abraão, mas entra, estás em tua casa, mandarei que te tragam água para lavares os pés e pão para a jornada, Primeiro hei-de tratar do meu jumento, Leva-o àquelas azinheiras, tens lá feno e palha e há um bebedouro cheio de água fresca. Caim levou o asno pela arreata, tirou-lhe a albarda para que se desafogasse do calor que fazia e instalou-o numa sombra. Depois sopesou os alforges quase vazios pensando em como poderia remediar uma escassez de alimentos que já se ia tornando alarmante. O que tinha ouvido a abraão dera-lhe uma alma nova, mas há que pensar que nem só de pão vive o homem, mormente ele, habituado nos últimos tempos a mimos gastronómicos muito por cima da sua origem e condição social. Deixando o jumento entregue aos mais lídimos prazeres campestres, água, sombra, comida farta, caim dirigiu-se à tenda, bateu à porta para avisar da sua presença e entrou. Viu logo que havia ali uma reunião para a qual, obviamente, não havia sido convidado, três homens, pelos vistos chegados entretanto, conversavam com o dono da casa. Fez menção de se retirar com a discrição conveniente, mas abraão disse, Não vás, senta-te, todos sois meus hóspedes, e agora, se me dais licença, vou dar as minhas ordens. Logo correu para dentro da tenda e disse a sara, sua mulher, Depressa, amassa três medidas da melhor farinha e faz uns quantos pães. Depois foi aonde se encontrava o gado e trouxe um vitelo novo e gordo, que entregou a um criado para que o cozinhasse rapidamente. Concluído tudo isto, serviu aos hóspedes o vitelo que havia preparado, incluindo a caim, Comes com eles ali, debaixo das árvores, disse. E, como se fosse pouco, ainda lhes serviu manteiga e leite. Então eles perguntaram, Onde está sara, e abraão respondeu, Está na tenda. Foi aqui que um dos três homens disse, Para o ano que vem voltarei a tua casa e, na devida altura, a tua mulher terá um filho. Esse será isaac, disse caim em voz baixa, tão baixa que ninguém pareceu tê-lo ouvido. Ora, abraão e sara eram bastante idosos, e ela já não estava em idade de ter filhos. Por isso sorriu ao pensar, Como é que eu vou ainda sentir essa alegria se o meu marido e eu estamos velhos e cansados. O homem perguntou a abraão, Por que é que sara sorriu, pensando que já não pode ter um filho nesta idade, será que para o senhor isso é uma coisa assim tão difícil. E repetiu o que dissera antes, Daqui a um ano voltarei a passar por tua casa e, no fim do tempo devido, a tua mulher terá dado à luz um filho. Ouvindo isto, sara assustou-se e negou que tivesse sorrido, mas o outro respondeu, Sorriste, sim, senhora, que eu bem vi. Neste momento todos perceberam que o terceiro homem era o próprio senhor deus em pessoa. Não foi dito na altura própria que caim, antes de entrar na tenda, havia feito descer para os olhos a fímbria do turbante a fim de esconder a marca à curiosidade dos presentes, sobretudo do senhor que imediatamente a reconheceria, por isso, quando o senhor lhe perguntou se o seu nome era caim, respondeu, Caim sou, na verdade, mas não esse.

O natural teria sido que o senhor, perante a não de todo hábil esquiva, tivesse insistido e que caim acabasse por confessar ser esse mesmo, aquele que havia assassinado o seu irmão abel e por essa culpa andar cumprindo pena de errante e perdido, mas o senhor tinha uma preocupação muito mais urgente e importante do que dedicar-se a averiguar a verdadeira identidade de um forasteiro suspeito. Era o caso de lhe terem chegado lá acima, ao céu de onde tinha vindo instantes antes, numerosas queixas pelos crimes contranatura cometidos nas cidades de sodoma e gomorra, ali perto. Como imparcial juiz que sempre se havia prezado de ser, embora não faltassem acções suas para demonstrar precisamente o contrário, tinha vindo cá abaixo para tirar a questão a limpo. Por isso se dirigia agora a sodoma, acompanhado de abraão, e também de caim, que havia pedido, por curiosidade de turista, que o deixassem ir. Os dois que vieram com ele, e que eram de certeza anjos de companhia, tinham ido à frente. Então abraão fez três perguntas ao senhor, Será que vais destruir os inocentes juntamente com os culpados, vamos supor que existem uns cinquenta inocentes em sodoma, vais destruí-los também a eles, não serás capaz de perdoar a toda a cidade em atenção aos cinquenta que se encontram inocentes do mal. E prosseguiu dizendo, Não é possível que vás fazer uma coisa dessas, senhor, condenar à morte o inocente juntamente com o culpado, desse modo, aos olhos de toda a gente, ser inocente ou culpado seria a mesma coisa, ora, tu, que és o juiz do mundo inteiro, deves ser justo nas tuas sentenças. A isto respondeu o senhor, Se eu encontrar na cidade de sodoma cinquenta pessoas que estejam inocentes, perdoarei a toda a cidade em atenção a elas. Animado, cheio de esperanças, abraão continuou, Já que tomei a liberdade de falar ao meu senhor, mesmo não sendo eu mais do que humilde pó da terra, permite-me ainda uma palavra, suponhamos que não chegam bem a cinquenta, que faltam umas cinco, será que vais destruir a cidade por causa de cinco. O senhor respondeu, Se lá encontrar quarenta e cinco que estejam inocentes, também não destruo a cidade. Abraão decidiu bater o ferro enquanto estava quente, Suponhamos agora que existam lá quarenta que estão inocentes, e o senhor respondeu, Por esses quarenta também não destruirei a cidade, E se lá se encontrarem trinta, Por esses trinta não farei mal à cidade, E se forem vinte, insistiu abraão, Não a destruirei por atenção a esses vinte. Então abraão atreveu-se a dizer, Que o meu senhor não se enfade se eu perguntar uma vez mais, Fala, disse o senhor, Suponhamos que existem lá só dez pessoas inocentes, e o senhor respondeu, Também não a destruirei em atenção a essas dez. Depois de ter assim respondido às perguntas de abraão, o senhor retirou-se, e abraão, acompanhado por caim, voltou para a tenda. Daquele que ainda estava por nascer, isaac, não se falaria mais. Quando chegaram às azinheiras de mambré, abraão entrou na tenda, donde sairia daí a pouco com os pães para os entregar a caim conforme havia prometido. Caim parou de ensilhar o jumento para agradecer a generosa dádiva, e perguntou, Como te parece que vai o senhor contar os dez inocentes que, no caso de existirem, evitariam a destruição de sodoma, crês que irá de porta em porta inquirindo das tendências e dos apetites sexuais dos pais de família e seus descendentes machos, O senhor não precisa de fazer escrutínios desses, ele só tem de olhar a cidade lá de cima para saber o que nela se passa, respondeu abraão, Queres tu dizer que o senhor fez aquele acordo contigo para nada, só para te comprazer, tornou caim a perguntar, O senhor empenhou a sua palavra, A mim não me parece, tão certo como eu me chamar caim, embora já me tenha chamado abel, existam inocentes ou não, sodoma será destruída, e se calhar esta mesma noite, É possível, sim, e não será apenas sodoma, será também gomorra e duas ou três outras cidades da planície, onde os costumes sexuais se relaxaram por igual, os homens com os homens e as mulheres postas de parte, E a ti não te preocupa o que possa suceder àqueles dois homens que vieram com o senhor, Não eram homens, eram anjos, que eu bem os conheço, Anjos sem asas, Não precisarão de asas se tiverem de escapar-se, Pois eu digo-te que vão chamar um figo a esses anjos se lhes põem as mãos e outra coisa em cima, e o senhor não ficará nada satisfeito contigo, eu, se estivesse no teu lugar, iria à cidade ver o que se passa, a ti não te fariam mal, Tens razão, irei, mas peço-te que me acompanhes, sentir-me-ei mais seguro, um homem e meio valem mais que um, Somos dois, não um, Eu já sou apenas metade de um homem, caim, Sendo assim, vamos lá, se nos assaltarem, a dois ou três deles ainda os poderei despachar com o punhal que levo debaixo da túnica, a contar daí esperemos que o senhor proverá. Então abraão chamou um criado e ordenou-lhe que levasse o jumento para a cavalariça. E a caim disse, Se não tens compromissos que te obriguem a partir ainda hoje, ofereço-te a minha hospitalidade para esta noite como um pequeno pago do favor que me farás acompanhando-me, Outros favores esperarei poder fazer-te no futuro, se estiverem na minha mão, respondeu caim, mas abraão não podia adivinhar aonde queria ele chegar com estas misteriosas palavras. Começaram a descer em direcção à cidade e abraão disse, Principiaremos por ir a casa do meu sobrinho lot, filho do meu irmão haran, ele nos porá ao corrente do que se tiver passado. Já o sol se tinha posto quando chegaram a sodoma, mas ainda havia muita luz de dia. Então viram um grande ajuntamento de homens em frente à casa de lot, os quais gritavam, Queremos esses que tens aí, manda-os cá para fora porque queremos dormir com eles, e davam golpes na porta, ameaçando deitá-la abaixo. Disse abraão, Vem comigo, damos a volta à casa e chamamos ao portão das traseiras. Assim fizeram. Entraram quando lot, por trás da porta da frente, estava a dizer, Por favor, meus amigos, não cometam um crime desses, tenho duas filhas solteiras, podem fazer o que quiserem com elas, mas a estes homens não façam mal porque eles procuraram protecção na minha casa. Continuaram os de fora furiosamente aos gritos, mas de repente os clamores mudaram de tom e agora o que se ouvia eram lamentações e choros, Estou cego, estou cego, era o que diziam todos, e perguntavam, Onde está a porta, aqui havia uma porta e já não está. Para salvar os seus anjos de serem brutalmente violados, destino pior que a morte segundo os entendidos, o senhor havia cegado a todos os homens de sodoma sem excepção, o que prova que, afinal, nem dez inocentes havia em toda a cidade. Dentro de casa os visitantes diziam a lot, Vai-te deste lugar com todos aqueles que te pertencerem, filhos, filhas, genros, e tudo o mais que tiveres nesta cidade porque nós viemos para a destruir. Lot saiu e foi avisar os que estavam para ser seus futuros genros, mas eles não acreditaram e riram-se do que julgaram ser uma brincadeira. Era já madrugada quando os mensageiros do senhor tornaram a insistir com lot, Levanta-te e leva daqui para fora a tua mulher e as tuas duas filhas que ainda estão contigo se não queres ser também apanhado pelo castigo da cidade, não é essa a vontade do senhor, mas é o que inevitavelmente sucederá se não nos obedeceres. E, sem aguardar resposta, agarraram-no pela mão, a ele, à mulher e às duas filhas, e levaram-nos para fora da cidade. Abraão e caim foram com eles, mas não os acompanhariam às montanhas como os demais estiveram a ponto de fazer por conselho dos mensageiros, se não fosse lot ter pedido que os deixassem ficar numa pequena cidade, quase uma aldeia, chamada zoar. Vão, disseram os mensageiros, mas não olhem para trás. Lot entrou na cidadezinha quando o sol estava a nascer. O senhor fez então cair enxofre e fogo sobre sodoma e sobre gomorra e a ambas destruiu até aos alicerces, assim como a toda a região com todos os seus habitantes e toda a vegetação. Para onde quer que se olhasse só se viam ruínas, cinzas e corpos carbonizados. Quanto à mulher de lot, essa olhou para trás desobedecendo à ordem recebida e ficou transformada numa estátua de sal. Até hoje ainda ninguém conseguiu compreender por que foi ela castigada desta maneira, quando tão natural é querermos saber o que se passa nas nossas costas. É possível que o senhor tivesse querido punir a curiosidade como se se tratasse de um pecado mortal, mas isso também não abona muito a favor da sua inteligência, veja-se o que sucedeu com a árvore do bem e do mal, se eva não tivesse dado o fruto a comer a adão, se não o tivesse comido ela também, ainda estariam no jardim do éden, com o aborrecido que aquilo era. No regresso, por casualidade, detiveram-se por um momento no caminho onde abraão tinha falado com o senhor, e aí caim disse, Tenho um pensamento que não me larga, Que pensamento, perguntou abraão, Penso que havia inocentes em sodoma e nas outras cidades que foram queimadas, Se os houvesse, o senhor teria cumprido a promessa que me fez de lhes poupar a vida, As crianças, disse caim, aquelas crianças estavam inocentes, Meu deus, murmurou abraão e a sua voz foi como um gemido, Sim, será o teu deus, mas não foi o delas.

8

Num instante, aquele mesmo caim que havia estado em sodoma e voltara aos caminhos encontrou-se no deserto do sinai onde, com grande surpresa, se viu no meio de uma multidão de milhares de pessoas acampadas no sopé de um monte. Não sabia quem eram, nem donde tinham vindo, nem para onde iam. Se perguntasse a algum dos que estavam por ali perto denunciar-se-ia logo como estrangeiro, e isso só poderia trazer-lhe aborrecimentos e problemas. Estando, como se vê, prudentemente de pé atrás, decidiu que desta vez não se chamaria nem caim nem abel, não fosse o diabo tecê-las e trazer para ali alguém que tivesse ouvido falar da história dos dois irmãos e começasse a fazer perguntas embaraçosas. O melhor seria manter bem abertos os olhos e os ouvidos e tirar conclusões por si mesmo. Uma coisa já era certa, o nome de um tal moisés andava na boca de toda a gente, uns com antiga veneração, com certa impaciência recente a maioria. E eram estes que perguntavam, Onde está moisés, há quarenta dias e quarenta noites que se foi ao monte a falar com o senhor e até agora nem novas nem mandadas, está visto que o senhor nos abandonou, não quer saber mais do seu povo. O caminho do engano nasce estreito, mas sempre encontrará quem esteja disposto a alargá-lo, digamos que ó engano, repetindo a voz popular, é como o comer e o coçar, a questão é começar. Com a gente que aguardava o regresso de moisés do monte sinai estava um irmão dele chamado aarão, a quem, ainda no tempo da escravidão dos israelitas no egipto, haviam nomeado sumo sacerdote. Foi a ele que os impacientes se dirigiram, Anda, faz-nos uns deuses que nos guiem, porque não sabemos o que sucedeu a moisés, e então aarão, que pelos vistos, além de não ser um modelo de firmeza de carácter, era bastante assustadiço, em lugar de se negar redondamente, disse, Já que tal o querem, tirem as argolas de ouro das orelhas das vossas mulheres e dos vossos filhos e filhas, e tragam-mas aqui. Eles assim fizeram. Depois aarão lançou o ouro num molde, fundiu-o e dele saiu um bezerro de ouro. Satisfeito, ao parecer, com a sua obra, e sem se aperceber da grave incompatibilidade que estava a ponto de criar sobre o objecto das futuras adorações, ou o senhor propriamente dito, ou um bezerro a fazer de deus, anunciou, Amanhã haverá festa em honra do senhor. Tudo isto foi ouvido por caim que, reunindo palavras soltas, troços de diálogos, esboços de opiniões, começou a formar uma ideia, não só sobre o que se estava passando naquele momento como sobre os seus antecedentes. Ajudaram-no muito as conversas escutadas numa tenda colectiva onde dormiam os solteiros, os que não tinham família. Caim disse que se chamava noah, não lhe ocorreu um nome melhor, e foi bem aceite, integrando-se de maneira natural nas conversações. Já então os judeus falavam muito, e às vezes demasiado. Na manhã seguinte correu a voz de que moisés estava finalmente a descer do monte sinai e que josué, seu ajudante e comandante militar dos israelitas, havia ido ao seu encontro. Quando josué ouviu os gritos que o povo dava, disse a moisés, Há gritos de guerra no acampamento, e moisés disse a josué, O que se ouve não são alegres cantos de vitória, nem tristes cantos de derrota, são apenas vozes de gente a cantar. Mal sabia ele o que o esperava. Ao entrar no acampamento deu logo de caras com o bezerro de ouro e gente a dançar ao redor dele. Deitou mão ao bezerro, partiu-o, reduziu-o a pó e, virando-se para aarão, perguntou-lhe, Que te fez este povo para o deixares cometer um tão grande pecado, e aarão que, com todos os seus defeitos, conhecia o mundo em que vivia, respondeu, Ó meu senhor, não te irrites comigo, bem sabes que este povo é inclinado ao mal, a ideia foi deles, queriam outros deuses porque já não acreditavam que tu voltasses, e o mais certo seria que me matassem se me tivesse negado a fazer-lhes a vontade. Então moisés postou-se à entrada do acampamento e gritou, Quem é pelo senhor, junte-se a mim. Todos os da tribo de levi se juntaram a ele, e moisés proclamou, Eis o que diz o senhor, deus de israel, pegue cada um numa espada, regressem ao acampamento e vão de porta em porta, matando cada um de vocês o irmão, o amigo, o vizinho. E foi assim que morreram cerca de três mil homens. O sangue corria entre as tendas como uma inundação que brotasse do interior da própria terra, como se ela própria estivesse a sangrar, os corpos degolados, esventrados, rachados de meio a meio, jaziam por toda a parte, os gritos das mulheres e das crianças eram tais que deviam chegar ao cimo do monte sinai onde o senhor se estaria regozijando com a sua vingança. Caim mal podia acreditar no que os seus olhos viam. Não bastavam sodoma e gomorra arrasadas pelo fogo, aqui, no sopé do monte sinai, ficara patente a prova irrefutável da profunda maldade do senhor, três mil homens mortos só porque ele tinha ficado irritado com a invenção de um suposto rival em figura de bezerro, Eu não fiz mais que matar um irmão e o senhor castigou-me, quero ver agora quem vai castigar o senhor por estas mortes, pensou caim, e logo continuou, Lúcifer sabia bem o que fazia quando se rebelou contra deus, há quem diga que o fez por inveja e não é certo, o que ele conhecia era a maligna natureza do sujeito. Algum do pó de ouro soprado pelo vento manchava as mãos de caim. Lavou-as num charco como se cumprisse o ritual de sacudir dos pés a poeira de um lugar onde tivesse sido mal recebido, montou o jumento e foi-se embora. Havia uma nuvem escura no alto do monte sinai, ali estava o senhor.

Por motivos que não está nas nossas mãos dilucidar, simples repetidores de histórias antigas que somos, passando continuamente da credulidade mais ingénua ao cepticismo mais resoluto, caim viu-se metido no que, sem exagero, poderíamos chamar uma tempestade, um ciclone do calendário, um furacão do tempo. Durante alguns dias, depois do episódio do bezerro de ouro e da sua curta existência, sucederam-se com incrível rapidez as suas já conhecidas mudanças de presente, surgindo do nada e precipitando-se no nada em forma de imagens soltas, desconexas, sem continuidade nem relação entre elas, em alguns casos mostrando o que parecia serem batalhas de uma guerra infinita cuja causa primeira já ninguém recordasse, em outros como uma farsa grotesca invariavelmente violenta, uma espécie de contínuo guinhol, áspero, rangente, obsessivo. Uma dessas múltiplas imagens, a mais enigmática e fugidia de todas, pôs-lhe diante dos olhos uma enorme extensão de água onde, até ao horizonte, não se alcançava ver nem uma ilha nem um simples barco à vela com os seus pescadores e as suas redes. Água, só água, água por toda a parte, nada mais que água afogando o mundo. De muitas destas histórias não poderia caim, obviamente, ter sido testemunha directa, mas algumas, quer fossem verdadeiras ou não, chegaram ao seu conhecimento pela sabida via de alguém que o havia ouvido de alguém e o veio contar a alguém. Exemplo dessas histórias foi o escandaloso caso de lot e as filhas. Quando sodoma e gomorra foram destruídas, lot teve medo de continuar a viver na cidade de zoar, que estava perto, e resolveu refugiar-se numa gruta das montanhas. Um dia, a filha mais velha disse para a mais nova, O nosso pai está acabado, um destes dias morre-nos aqui, e por estes sítios não se encontra um único homem para casar connosco, a minha ideia é que embriaguemos o pai e depois durmamos com ele para que nos dê descendentes. Assim se fez, sem que lot se tivesse dado conta, nem quando ela se deitou nem quando saiu da cama, e o mesmo veio a suceder com a filha mais nova na noite seguinte, nem quando se deitou nem quando saiu da cama, tão bêbado o velho estava. As duas irmãs ficaram grávidas, mas caim, grande especialista em erecções e ejaculações como gostosamente o confirmaria lilith, sua primeira e até agora única amante, disse quando esta história lhe foi contada, A um homem dessa maneira embriagado, ao ponto de nem dar pelo que se estava a passar, a coisa simplesmente não se lhe levanta, e se não se lhe levanta a coisa, então não poderá dar-se a penetração, e, portanto, isso de engendrar, nada. Que o senhor tenha admitido o incesto como algo quotidiano e não merecedor de castigo naquelas antigas sociedades por ele geridas, não é nada que deva surpreender-nos à luz de uma natureza ainda não dotada de códigos morais e em que o importante era a propagação da espécie, quer fosse por imposição do cio, quer fosse por simples apetite, ou, como se dirá mais tarde, por fazer o bem sem olhar a quem. O próprio senhor havia dito, Crescei e multiplicai-vos, e não pôs limitações nem reservas à injunção, seja com quem sim, seja com quem não. É possível, embora não passe por enquanto de uma hipótese de trabalho, que a liberalidade do senhor nisto de fazer filhos tivesse que ver com a necessidade de suprir as perdas em mortos e feridos que sofriam os exércitos próprios e alheios um dia sim e outro também, como até agora se tem visto e decerto se continuará a ver. Baste recordar o que aconteceu à vista do monte sinai e da coluna de fumo que era o senhor, o afã erótico com que, nessa mesma noite, enxugadas as lágrimas dos sobreviventes, se tratou de gerar a toda a pressa novos combatentes para empunhar as espadas sem dono e degolar os filhos dos que agora haviam saído vencedores. Veja-se só o que aconteceu com os madianitas. Por um desses acasos de guerra os de madian tinham derrotado os israelitas, os quais, vem a propósito dizer, apesar de toda a propaganda em contrário, não poucas vezes acabaram vencidos na história. Com esta pedra no sapato, o senhor disse a moisés, Deves fazer com que os israelitas se vinguem dos madianitas e depois vai-te preparando porque já vão sendo horas de te ires juntar aos teus antepassados. Sobrepondo-se à desagradável notícia sobre o relativo pouco tempo que lhe restaria para viver, moisés mandou a cada uma das doze tribos de israel que pusessem mil homens para a guerra e assim reuniu um exército de doze mil soldados que destroçou o dos madianitas, nenhum dos quais escapou com vida. Entre os que foram mortos estavam os reis da região de madian, que eram evi, requém, sur, hur e reba, antigamente os reis tinham nomes tão estranhos como estes, curiosamente nenhum deles se chamou joão nem afonso, ou manuel, sancho ou pedro. Quanto às mulheres e às crianças, os israelitas levaram-nas como prisioneiras, assim como os despojos da luta, os animais, o gado e todas as riquezas. Levaram tudo a moisés e ao sacerdote eleazar e à comunidade dos israelitas que se encontravam nas planícies de moab, junto do rio jordão, em frente de jericó, precisões toponímicas que aqui são deixadas para provar que não temos estado a inventar nada. Já sabedor dos resultados da luta, moisés ficou irritado quando viu entrar os militares no acampamento e perguntou-lhes, Por que não mataram vocês também as mulheres, essas que fizeram com que os israelitas se afastassem do senhor e adorassem o deus baal, maldade que provocou uma grande mortandade no povo do senhor, ordeno-vos, pois, que voltem para trás e matem todos os rapazes e todas as raparigas, e as mulheres casadas, quanto às outras, as solteiras, guardem-nas para vosso uso. Nada disto surpreendia já caim. O que para ele foi novidade absoluta, e por isso aqui fica pontual registo, foi a repartição dos despojos, da qual consideramos indispensável deixar notícia para conhecimento dos costumes do tempo, pedindo de antemão desculpa ao leitor pelos excessos de uma minúcia de que não somos responsáveis. Eis o que o senhor disse a moisés, Tu e o sacerdote eleazar e os chefes de clã da comunidade façam as contas dos despojos que trouxeram, tanto das pessoas como dos animais, e dividam-nos ao meio, metade para os soldados que foram à batalha e a outra metade para o resto da comunidade. Da parte dos soldados retirarás, como tributo para o senhor, uma cabeça por cada quinhentas, tanto das pessoas como dos animais, bois, burros ou ovelhas. Da parte destinada aos israelitas retirarás um por cada cinquenta, tanto das pessoas como dos animais, bois, burros, ovelhas e de toda a espécie de animais, e entrega-os aos levitas, encarregados da guarda do santuário do senhor. Moisés fez o que deus lhe tinha mandado. O total dos despojos que os guerreiros israelitas recolheram foi de seiscentas e setenta e cinco mil ovelhas, setenta e dois mil bois, sessenta e um mil burros e trinta e duas mil mulheres solteiras. A metade que correspondia aos soldados que foram à batalha foi, portanto, de trezentas e trinta e sete mil e quinhentas ovelhas, ficando seiscentos e setenta e cinco como tributo para o senhor, dos trinta e seis mil bois ficaram seiscentos e setenta e dois como tributo para o senhor, dos trinta mil e quinhentos burros ficaram sessenta e um como tributo para o senhor, e das dezasseis mil pessoas ficaram trinta e duas como tributo para o senhor. A outra metade, que moisés tinha separado do que tocava aos soldados e atribuiu à comunidade dos israelitas, era igualmente de trezentas e trinta e sete mil e quinhentas ovelhas, trinta e seis mil bois, trinta mil e quinhentos burros e dezasseis mil mulheres solteiras. Desta metade, moisés retirou um por cada cinquenta, tanto das pessoas como dos animais, e entregou-os aos levitas encarregados da guarda do santuário do senhor, tal como o senhor lhe tinha mandado. Mas isto não foi tudo. Como reconhecimento ao senhor por lhes ter salvo a vida, pois nenhum deles havia morrido na batalha, os soldados, por intermédio dos seus comandantes, ofereceram ao senhor os objectos de ouro que cada um tinha encontrado no saque da cidade. Entre braceletes, pulseiras, anéis, brincos e colares, foram uns cento e setenta quilos. Como fica sobremaneira demonstrado, o senhor, além de estar dotado por natureza de uma excelente cabeça para guarda-livros e ser rapidíssimo em cálculo mental, está o que se chama rico. Ainda assombrado pela abundância em gado, escravas e ouro, frutos da batalha contra os madianitas, caim pensou, Está visto que a guerra é um negócio de primeira ordem, talvez seja mesmo o melhor de todos a julgar pela facilidade com que se adquirem do pé para a mão milhares e milhares de bois, ovelhas, burros e mulheres solteiras, a este senhor terá de chamar-se um dia deus dos exércitos, não lhe vejo outra utilidade, pensou caim, e não se enganava. É bem possível que o pacto de aliança que alguns afirmam existir entre deus e os homens não contenha mais que dois artigos, a saber, tu serves-nos a nós, vocês servem-me a mim. Do que não há dúvida é de que as coisas estão muito mudadas. Antigamente o senhor aparecia à gente em pessoa, por assim dizer em carne e osso, via-se que sentia mesmo certa satisfação em exibir-se ao mundo, que o digam adão e eva, que da sua presença se beneficiaram, que o diga também caim, embora em má ocasião, pois as circunstâncias, referimo--nos, claro está, ao assassínio de abel, não eram as mais adequadas para especiais demonstrações de contentamento. Agora, o senhor esconde-se em colunas de fumo, como se não quisesse que o vissem. Em nossa opinião de simples observadores dos acontecimentos andará envergonhado por algumas tristes figuras que tem feito, como foi o caso das inocentes crianças de sodoma que o fogo divino calcinou.

9

O lugar é o mesmo, mas o presente mudou. Caim tem diante dos olhos a cidade de jericó, onde, por razões de segurança militar, não lhe haviam permitido que entrasse. Espera-se a todo o momento o assalto do exército de josué e, por mais que caim tivesse jurado que não era israelita, negaram-lhe o acesso, sobretudo porque não teve nenhuma resposta satisfatória para dar quando lhe perguntaram, Que és então, se não és israelita. No nascimento de caim, israelitas era coisa que ainda não havia e, quando, muito mais tarde, passaram a existir, com as desastrosas consequências já por de mais conhecidas, os recenseamentos celebrados deixaram de fora a família de adão. Caim não era israelita, mas tão-pouco era hitita, ou amorreu, ou pereceu, ou jebeu, ou jesubeu. Veio a salvá-lo desta indefinição identitária um alveitar do exército de josué que se tomou de amores pelo jumento de caim, Boa peça tens aí, disse, Anda comigo desde que deixei a terra de nod e nunca me falhou, Pois se assim é, se estás de acordo, contrato-te como meu ajudante pela comida, com a condição de me deixares montar o teu burro de vez em quando. A caim pareceu-lhe razoável o negócio, mas ainda objectou, E depois, Depois quê, perguntou o outro, Quando jericó cair, Homem, jericó é só o princípio, o que aí vem é uma longa guerra de conquista em que os alveitares não serão menos necessários que os soldados, Se é assim, estou de acordo, disse caim. Tinha ouvido falar de uma célebre prostituta que vivia em jericó, uma tal raab que, pelas descrições daqueles que a conheciam, o havia feito suspirar por um encontro que lhe refrescasse o sangue, pois desde a última noite que passara com lilith nunca mais tivera uma mulher debaixo de si. Não o deixaram entrar em jericó, mas não perdeu a esperança de vir a dormir com ela. O alveitar fez saber a quem de direito que havia contratado um ajudante só pela comida e foi assim que caim se viu integrado nos serviços de apoio do exército de josué, curando as mataduras dos burros sob a exigente orientação do chefe, burros e nada mais que burros, pois a arma de cavalaria propriamente dita ainda não tinha sido inventada. Após uma espera que a todos pareceu excessiva, soube-se que o senhor tinha finalmente falado a josué, a quem, palavra por palavra, ordenou o seguinte, Durante seis dias, tu e os teus soldados desfilem em volta da cidade uma vez por dia, à frente da arca da aliança irão sete sacerdotes, cada um soprando um chofar de chifre de carneiro, no sétimo dia darão sete voltas à cidade, enquanto os sacerdotes tocam os chofares, quando eles emitirem um som mais prolongado, o povo deve gritar com toda a força e então as muralhas da cidade cairão por terra. Contrariando o mais legítimo cepticismo, assim aconteceu. Ao cabo de sete dias desta manobra táctica nunca antes experimentada, as muralhas caíram mesmo e toda a gente entrou correndo na cidade, cada qual pela abertura que tinha na sua frente, e jericó foi conquistada. Destruíram tudo o que havia, matando à espada homens e mulheres, novos e velhos, e também os bois, as ovelhas e os jumentos. Quando caim pôde finalmente entrar na cidade, a prostituta raab tinha desaparecido com toda a família, postas em segurança como retribuição pela ajuda que ela havia dado ao senhor escondendo em sua casa os dois espiões que josué fizera entrar em jericó. Assim informado, caim perdeu todo o interesse pela tal prostituta raab. Apesar do seu deplorável passado, não podia suportar gente traiçoeira, as mais desprezíveis pessoas do mundo em sua opinião. Os soldados de josué lançaram fogo à cidade e queimaram tudo o que lá havia, à excepção da prata, do ouro, do bronze e do ferro que, como de costume, foram levados para o tesouro do senhor. Foi então que josué fez a seguinte ameaça, Maldito seja quem tentar reconstruir a cidade de jericó, morra o filho mais velho a quem lhe lançar os alicerces e o mais novo a quem lhe levantar as portas. Naquela época as maldições eram autênticas obras-primas literárias, tanto pela força da intenção como pela expressão formal em que se condensavam, não fosse josué a crudelíssima pessoa que foi e hoje até poderíamos tomá-lo como modelo estilístico, pelo menos no importante capítulo retórico das pragas e maldições tão pouco frequentado pela modernidade. Dali o exército dos israelitas marchou sobre a cidade de ai, que pelo dorido nome que lhe deram não perca, onde, depois de sofrer a humilhação de uma derrota, ficou a saber que com o senhor deus não se brinca. Foi o caso que um homem chamado acan se tinha apoderado em jericó de umas quantas coisas que estariam condenadas à destruição e, em consequência, o senhor ficou profundamente irritado com os israelitas, Isto não se faz, gritou ele, quem se atrever a desobedecer às minhas ordens, a si mesmo se estará condenando. Entretanto, josué, induzido por informações erradas dos espiões que havia enviado a ai, cometera o erro de não valorar devidamente a força do adversário e despachou menos de três mil homens para a batalha, os quais, atacados e perseguidos pelos habitantes da cidade, se viram obrigados a fugir. Como sempre tem sucedido, à mínima derrota os judeus perdem a vontade de lutar, e, embora na actualidade já não se usem manifestações de desânimo como as que eram praticadas no tempo de josué, quando rasgavam as roupas que tinham vestidas e se lançavam ao chão, com o rosto na terra e as cabeças cobertas de pó, a choradeira verbal é inevitável. Que o senhor educou mal esta gente desde o princípio, vê-se pelas implorações, pelas queixas, pelas perguntas de josué, Por que nos fizeste atravessar o jordão, foi para nos entregares nas mãos dos amorreus e nos destruíres, melhor seria que tivéssemos ficado do outro lado do rio. O desproporcionado exagero era evidente, este mesmo josué que costuma deixar atrás de si um rasto de muitos milhares de inimigos mortos em cada batalha perde a cabeça quando lhe morre a insignificância de trinta e seis soldados, que tantos foram os que ficaram na tentativa de assalto a ai. E o exagero continuava, Ó senhor, que poderei dizer agora, depois de israel fugir diante do seu inimigo, os cananeus e todos os habitantes do país vão ter conhecimento disto, e depois vão atacar-nos, e destruir-nos, e ninguém mais se recordará de nós, que farás tu para defender o nosso prestígio, perguntou. Então o senhor, desta vez sem presença corporal nem coluna de fumo, supõe-se que tenha sido apenas uma voz a ressoar no espaço, acordando os ecos em tudo o que era montanhas e vales, disse, Os israelitas pecaram, não cumpriram o pacto da aliança que tinha feito com eles, apoderaram-se de coisas que estavam destinadas a ser destruídas, roubaram-nas, esconderam--nas e meteram-nas nas suas bagagens. A voz soou mais forte, Foi por isso que eles não puderam resistir aos seus inimigos, porque também ficaram condenados à destruição, e eu não estarei mais do vosso lado enquanto não destruírem o que, estando destinado à destruição, se encontra em vosso poder, levanta-te, pois, josué, e vai convocar o povo, aquele homem que, tendo sido apontado, lhe forem encontradas coisas que estavam condenadas à destruição será queimado com tudo o que lhe pertença, família e bens. No dia seguinte, de manhã cedo, josué deu ordem para que o povo se apresentasse diante dele, tribo por tribo. De pergunta em pergunta, de indagação em indagação, de denúncia em denúncia, acabou por ir parar a um homem chamado acan, descendente de carmi, de zabedi e de zera da tribo de judá. Então, josué, com palavras suaves, melífluas, disse-lhe, Meu filho, para maior glória de deus, conta-me toda a verdade, aqui, diante do senhor, diz-me o que fizeste, não me escondas nada. Caim, que assistia no meio dos outros, pensou, Vão-lhe perdoar com certeza, josué falaria doutra maneira se a ideia fosse condená-lo. Entretanto, acan dizia, É verdade, pequei contra o senhor, rei de israel, Fala, conta-me tudo, animou josué, Vi no meio dos despojos uma bela capa da mesopotâmia, também havia cerca de dois quilos de prata e uma barra de ouro com perto de meio quilo, e gostei tanto dessas coisas que fiquei com elas, E onde estão elas agora, diz-me, perguntou josué, Enterrei-as, escondi-as na terra dentro da minha tenda, com a prata debaixo de tudo. De posse desta confissão, josué mandou alguns homens revistar a tenda e lá encontraram as tais coisas, estando a prata por baixo, tal como acan havia dito. Pegaram nelas, levaram-nas a josué e a todos os israelitas e colocaram-nas diante do senhor ou, melhor dizendo, diante da arca da aliança que lhe fazia as vezes. Josué tomou então acan com a prata, o manto e a barra de ouro, mais os filhos e filhas, bois, jumentos e ovelhas, a tenda e tudo o que ele tinha, e levou-os até ao vale de acor. Chegados lá, josué disse, Já que foste a nossa desgraça, pois por tua culpa morreram trinta e seis israelitas, que o senhor agora te desgrace a ti. Então todas as pessoas o apedrejaram e, em seguida, lançaram-nos ao fogo, a eles e a tudo o que tinham. Puseram depois sobre acan um grande monte de pedras que ainda lá está. Por tal razão, aquele lugar ficou a chamar-se vale de acor, que significa desgraça. Assim se acalmou a ira de deus, mas, antes que o povo se dispersasse, ainda se ouviu a estentória voz a clamar, Ficam avisados, quem mas fizer, paga-mas, eu sou o senhor.

Para conquistar a cidade, josué fez alinhar trinta mil guerreiros e instruiu-os sobre a emboscada que deveriam preparar, estratégia que desta vez iria dar resultado, primeiro uma finta para dividir as forças que se encontravam na cidade e logo um ataque em duas frentes, irresistível. Foram doze mil, entre homens e mulheres, os que morreram naquele dia, ou seja, toda a população de ai, pois dali ninguém conseguiu escapar, não houve um só sobrevivente. Josué mandou enforcar numa árvore o rei de ai e deixou-o ficar pendurado até à tarde. Ao pôr do sol deu ordem para retirarem o cadáver e o lançarem à porta da cidade. Colocaram-lhe em cima um grande monte de pedras que lá continua. Apesar do tempo decorrido, ainda se encontrariam talvez uns quantos calhaus dispersos, aqui um, outro além, que bem nos serviriam para confirmar esta lamentável história, recolhida de antiquíssimos documentos. Perante o que acabara de passar-se e recordando o que havia sucedido antes, a destruição de sodoma e gomorra, o assalto a jericó, caim tomou uma decisão e dela foi informar o alveitar seu chefe, Vou-me embora, disse, já não suporto ver tantos mortos à minha volta, tanto sangue derramado, tantos choros e tantos gritos, devolve-me o meu burro, preciso dele para o caminho, Fazes mal, a partir de agora as cidades vão cair umas atrás das outras, será um passeio triunfal, quanto ao burro, se mo quisesses vender davas-me uma grande satisfação, Nem pensar, interrompeu caim, já te disse que preciso dele, só com as minhas pernas não chegaria a lado nenhum, Posso arranjar-te outro sem teres de o pagar, Não, cheguei aqui com o meu burro e com o meu burro me irei daqui, disse caim, e, metendo a mão dentro da túnica, sacou do punhal, Quero o burro agora mesmo, neste instante, ou então mato-te, Morrerás também, Morreremos os dois, mas tu serás o primeiro, Espera-me aqui, vou buscá-lo, disse o alveitar, Não penses em enganar-me, não voltarias sozinho, vamos ambos, tu e eu, mas lembra-te, o punhal cravar-se-á no teu costado antes que possas pronunciar uma palavra contra mim. O alveitar teve medo de que a fúria de caim o fizesse passar de repente da ameaça ao facto, seria uma estupidez perder a vida por causa de um jumento, por muita boa estampa que tivesse. Foram portanto os dois, aparelharam o burro, caim conseguiu alguma comida da que estava a ser cozinhada para o exército, e quando os alforges ficaram bem apetrechados ordenou ao alveitar, Monta, será o teu último passeio no meu jumento. Surpreendido, o homem não teve outro remédio que obedecer, num salto caim montou também, e em pouco tempo estavam fora do acampamento. Aonde me levas, perguntou o alveitar, inquieto, Já te disse, a um passeio, respondeu caim. Foram andando, andando, e quando o vulto das tendas estava a ponto de perder-se de vista, disse, Desmonta. O alveitar obedeceu, mas ao ver que caim tocava o burro para prosseguir viagem, perguntou, alarmado, E eu, que faço, Farás o que quiseres, mas, se eu estivesse no teu lugar, voltaria para o acampamento, A esta distância, perguntou o outro, Não te perderás, guia-te por aquelas colunas de fumo que continuam a subir da cidade. E foi assim, com esta vitória, que terminou a carreira militar de caim. Perdeu a conquista das cidades de maqueda, libna, laquis, eglon, hebron e debir, onde uma vez mais todos os habitantes foram massacrados, e, a julgar por uma lenda que veio sendo transmitida de geração em geração até aos dias de hoje, não assistiu ao maior prodígio de todos os tempos, aquele em que o senhor fez parar o sol para que josué pudesse vencer, ainda com luz de dia, a batalha contra os cinco reis amorreus. Tirando os inevitáveis e já monótonos mortos e feridos, tirando as costumadas destruições e os costumadíssimos incêndios, a história é bonita, demonstrativa do poder de um deus ao qual, pelos vistos, nada seria impossível. Mentira tudo. É certo que josué, vendo que o sol declinava e que as rastejantes sombras da noite viriam proteger o que ainda restava do exército amorreu, levantou os braços ao céu, já com a frase preparada para a posteridade, mas, nesse instante, ouviu uma voz que lhe sussurrava ao ouvido, Silêncio, não fales, não digas nada, reúne-te comigo, a sós, sem testemunhas, na tenda da arca da aliança, porque temos que conversar. Obediente, josué entregou a direcção das operações ao seu substituto na cadeia hierárquica de comando e dirigiu-se rapidamente ao lugar de encontro. Sentou-se num mocho e disse, Aqui estou, senhor, faz-me saber a tua vontade, Suponho que a ideia que te nasceu na cabeça, disse o senhor que estava na arca, foi a de pedir-me que parasse o sol, Assim é, senhor, para que nenhum amorreu escape, Não posso fazer o que me pedes. Um súbito pasmo fez abrir a boca de josué, Que não podes fazer parar o sol, perguntou, e a voz tremia-lhe porque cria estar proferindo, ele próprio, uma horrível heresia, Não posso fazer parar o sol porque parado já ele está, sempre o esteve desde que o deixei naquele sítio, Tu és o senhor, tu não podes equivocar-te, mas não é isso o que os meus olhos vêem, o sol nasce naquele lado, viaja todo o dia pelo céu e desaparece no lado oposto até regressar na manhã seguinte, Algo se move realmente, mas não é o sol, é a terra, A terra está parada, senhor, disse josué em voz tensa, desesperada, Não, homem, os teus olhos iludem-te, a terra move-se, dá voltas sobre si mesma e vai rodopiando pelo espaço ao redor do sol, Então, se assim é, manda parar a terra, que seja o sol a parar ou que pare a terra, a mim é-me indiferente desde que possa acabar com os amorreus, Se eu fizesse parar a terra, não se acabariam só os amorreus, acabava-se o mundo, acabava-se a humanidade, acabava-se tudo,

todos os seres e coisas que aqui se encontram, até
mesmo muitas árvores, apesar das raízes que as prendem à terra, tudo seria lançado para fora como uma
pedra quando a soltas da funda, Pensei que o funcionamento da máquina do mundo dependesse apenas da
tua vontade, senhor, Já demasiado eu a venho exercendo, e outros em meu nome, por isso é que há tanto
descontentamento, gente que me virou as costas,
alguns que vão ao ponto de negar a minha existência,
Castiga-os, Estão fora da minha lei, fora da minha
alçada, não lhes posso tocar, é que a vida de um deus
não é tão fácil quanto vocês crêem, um deus não é
senhor daquele contínuo quero, posso e mando que se
imagina, nem sempre se pode ir direito aos fins, há que
rodear, é verdade que pus um sinal na testa de caim,
nunca o viste, não sabes quem ele é, mas, o que não se
compreende é que não tenha poder suficiente para o
impedir de ir aonde a sua vontade o leve e fazer o que
entender, E nós, aqui, perguntou josué, com a ideia
sempre posta nos amorreus, Farás o que havias pensado, não te vou roubar a glória de te dirigires directamente a deus, E tu, senhor, Eu limparei o céu das
nuvens que neste momento o cobrem, isso posso fazer
sem nenhuma dificuldade, mas a batalha terás de ser
tu a ganhá-la, Se tu nos deres ânimo ela estará terminada antes que o sol se ponha, Farei o possível, já que
o impossível não se pode. Tomando estas palavras
como despedida, josué levantou-se do mocho, mas o
senhor disse ainda, Não falarás a ninguém sobre o que
foi tratado aqui entre nós, a história que virá a ser con-

tada no futuro terá de ser a nossa e não outra, josué pediu ao senhor que detivesse o sol e ele assim fez, nada mais, A minha boca não se abrirá salvo que seja para confirmá-la, senhor, Vai e acaba-me com esses amorreus. Josué voltou ao exército, subiu a uma colina e ergueu outra vez os braços, Ó senhor, gritou, ó deus do céu, do mundo e de israel, rogo-te que suspendas o movimento do sol em direcção ao ocaso a fim de que a tua vontade possa ser cumprida sem obstáculos, dá-me uma hora mais de luz, uma hora só, não aconteça que os amorreus se escondam como cobardes que são e os teus soldados não logrem encontrá-los no escuro para neles executar a tua justiça, tirando-lhes a vida. Em resposta, a voz de deus trovejou no céu já despejado de nuvens aterrorizando os amorreus e exaltando os israelitas, O sol não se moverá de onde está para ser testemunha da batalha dos israelitas pela terra prometida, vence tu, josué, esses cinco reis amorreus que me desafiam, e canaã será o fruto maduro que em breve te cairá nas mãos, avante, pois, e que nenhum amorreu sobreviva ao gume da espada dos israelitas. Há quem diga que a súplica de josué ao senhor foi mais simples, mais directa, que ele se limitou a dizer, Sol, pára sobre guibeon, e tu, ó lua, pára sobre o vale de aialon, o que mostra que josué admitia ter de combater já depois de posto o sol e sem mais que uma pálida lua para guiar-lhe a ponta da espada e da lança à garganta dos amorreus. A versão é interessante, mas em nada vem modificar o essencial, isto é, que os amorreus foram derrotados em toda a linha e que os créditos da vitória foram todos para o senhor, que, tendo feito parar o sol, não necessitou esperar pela lua. O seu a seu dono, como é de justiça. Eis o que foi escrito num livro chamado do justo, que actualmente ninguém sabe onde pára. Durante quase um dia inteiro, o sol esteve imóvel, ali no meio do céu, sem nenhuma pressa de desaparecer no horizonte, nunca, nem antes nem depois, houve um dia como aquele, em que o senhor, porque combatia por israel, deu ouvidos à voz de um homem.

10

Caim não sabe onde se encontra, não percebe se o jumento o estará levando por uma das tantas vias do passado ou por algum estreito carreiro do futuro, ou se, simplesmente, vai andando por um qualquer outro presente que ainda não se deu a conhecer. Olha o chão seco, os cardos espinhosos, as raras ervas torriscadas pelo sol, mas chão seco, cardos e ervas queimadas é o que mais se vê por estas inóspitas paragens. Caminhos à vista, nem sinal deles, desde aqui se poderia chegar a todo o lado ou a lado nenhum, como destinos que se renovassem ou algum outro que tivesse decidido esperar melhor ocasião para manifestar-se. O jumento pisa firme, parece ele que sabe aonde se dirige, como se seguisse um rasto, aquele sempre confuso ir e vir de marcas de sandálias, cascos ou pés descalços que é preciso observar com atenção para não estar a voltar para trás quem imaginasse avançar, sem desvios, directo à estrela polar. Caim, que no passado, além de incipiente agricultor, foi pisador de barro, é agora um diligente rastreador que, mesmo quando indeciso, tenta não perder o fio de quem por aqui passou antes, tivesse ou não achado um lugar onde deter-se e aí dizer consigo mesmo, Cheguei. Bons olhos terá caim, não duvidamos, mas não tão bons que neste momento lhe permitam reconhecer, entre os múltiplos sinais, as próprias marcas dos seus pés, a depressão causada por um calcanhar ou o arrastamento provocado por uma perna cansada. Caim passou por aqui, isso sim, é certo. Vai descobri-lo quando de súbito lhe aparecer o que resta da casa arruinada onde em tempos se resguardou da chuva e onde não poderia abrigar-se hoje porque o que ainda havia de tecto caiu já, agora não se vêem mais que uns troços de muros esboroados que, com a passagem de mais dois ou três invernos, definitivamente se confundirão com o chão onde se erguiam, terra que tornou à terra, pó que tornou ao pó. A partir daqui o jumento só irá aonde o queiram levar, o tempo de ser ele o único guia nesta viagem acabou, ou não, se o deixassem solto, imaginemo-lo, a lembrança da antiga estrebaria talvez fosse suficientemente poderosa para o conduzir por seu pé à cidade donde partiu carregando este homem ao lombo há não se sabe quantos anos. No que se refere a caim, é natural que não se tenha esquecido do caminho para chegar ao palácio. Quando ali entrar, estará em seu poder mudar de rumo, abandonar os outros presentes que o esperam antes do hoje e depois do hoje, e regressar a este passado por um dia que seja, ou dois, talvez mais, mas não para todo o que lhe falte viver, pois o seu destino ainda está por cumprir, como a seu tempo se saberá. Caim tocou de leve com os calcanhares as ilhargas do jumento, lá adiante está o caminho que o levará à cidade, seja qual for a espécie de vinho que lhe tiverem servido no copo, à sua espera, é preciso bebê-lo. Vista de perto, a cidade não parece ter aumentado, são as mesmas casas atarracadas sob o seu próprio peso, são os mesmos adobes, só o palácio emerge da massa parda das velhas construções, e, como era de prever, de acordo com as regras destas narrativas, o mesmo velho está à entrada da praça, ao virar da esquina, com as mesmas ovelhas atadas ao mesmo baraço. Por onde tens andado, voltaste para ficar, perguntou ele a caim, E tu, ainda por cá andas, ainda não morreste, retrucou caim, Não morrerei enquanto estas ovelhas viverem, devo ter nascido para as guardar, para as impedir de comer o baraço que as ata, Outros nasceram para pior, Falas de ti mesmo, Talvez te responda noutra ocasião, agora estou com pressa, Tens alguém à espera, perguntou o velho, Não sei, Ficarei aqui para ver se sais ou ficas no palácio, Deseja-me sorte, Para desejar-te sorte teria de saber primeiro o que para ti é o melhor, Coisa que nem eu próprio sei, Sabes que lilith tem um filho, perguntou o velho, É natural, estava grávida quando parti, Pois é verdade, tem um filho, Adeus, Adeus. Sem precisar de que lho ordenassem, o jumento avançou para a porta do palácio e aí se deteve. Caim deixou-se escorregar da albarda, entregou a arreata a um escravo que tinha acudido e perguntou-lhe, Está alguém no palácio, Sim, está a senhora, Vai dizer-lhe que chegou um visitante, Abel, chamas-te abel, murmurou o escravo, lembro-me bem de ti, Vai, então. O escravo subiu a escada e voltou daí a pouco acompanhado por um rapazinho que devia ter uns nove ou dez anos, É o meu filho, pensou caim. O escravo fez-lhe sinal para o seguir. No cimo da escada estava lilith, tão bela, tão voluptuosa como antes, Adivinhei que virias hoje, disse, por isso me vesti assim, para que gostasses de me ver, Quem é este rapazinho, O seu nome é enoch e é teu filho. Caim subiu os poucos degraus que o separavam de lilith, agarrou as mãos que ela lhe estendia e, em um momento, apertava-a nos seus braços. Ouviu-a suspirar, sentiu que todo o seu corpo estremecia, e, quando lilith disse, Voltaste, só pôde responder, Sim, voltei. A um sinal, o escravo levou o rapaz, deixando-os sós. Vem comigo, disse ela. Entraram na antecâmara e caim reparou que ainda estavam ali o catre e o banco de porteiro que lhe haviam sido destinados dez anos antes, Como soubeste que vinha hoje se eu próprio me encontrei nestes sítios sem dar por isso, Nunca me perguntes como sei eu o que digo que sei porque não poderia responder-te, esta manhã, quando acordei, disse em voz alta, Voltará hoje, disse-o para que tu ouvisses, e foi verdade, aqui estás, mas não penso perguntar-te por quanto tempo, Acabei agora mesmo de chegar, não é a altura de falar em partir, Por que vieste, É uma história comprida que não se pode contar assim, entre duas portas, Então virás contá-la na cama. Entraram no quarto, onde nada parecia haver mudado, como se a memória de caim, durante a longa separação, não tivesse modificado as recordações, uma por uma, para não ter que surpreender-se agora. Lilith começou a despir-se, e o tempo não parecia haver passado por ela. Foi então que caim perguntou, E noah, Morreu, disse ela com simplicidade, sem que a voz lhe tremesse nem o olhar se desviasse, Mataste-o, tornou caim a perguntar, Não, respondeu lilith, prometi-te que não o mataria, morreu da sua natural morte, Melhor assim, disse caim, A cidade também se chama enoch, lembrou lilith, Como o meu filho, Sim, E quem foi que lhe deu o nome, A quem, À cidade, O nome pôs-lho noah, E porque deu ele à cidade o nome de um filho que não era seu, Nunca mo disse, e eu nunca lho perguntei, respondeu lilith, já deitada, E noah, morreu quando, perguntou caim, Há três anos, Quer dizer que durante sete anos, aos olhos de toda a gente, foi ele o pai de enoch, Fazia-se de conta, todos os daqui sabiam que eras tu o pai, ainda que é certo que, com o tempo, só as pessoas mais velhas o recordavam, seja como for, noah não o teria tratado melhor se fosse um filho seu, Nem parece o homem que eu conheci, é como se fossem duas pessoas, Ninguém é uma só pessoa, tu, caim, és também abel, E tu, Eu sou todas as mulheres, todos os nomes delas são meus, disse lilith, e agora vem, vem depressa, vem dar-me notícias do teu corpo, Em dez anos não conheci outra mulher, disse caim enquanto se deitava, Nem eu outro homem, disse lilith, sorrindo com malícia, É verdade o que dizes, Não, estiveram nesta cama alguns, não muitos porque não os podia suportar, a minha vontade era cortar-lhes o pescoço quando descarregavam, Agradeço-te a franqueza, A ti nunca te mentiria, disse lilith, e abraçou-se a ele.

Tranquilizados os espíritos, compensados da longa separação os corpos com juros altíssimos, chegou o momento de pôr o passado em ordem. Lilith tinha perguntado, Por que vieste, mas ele já havia declarado antes que não sabia como chegara ali, por isso ela modificou a interrogação, Que andaste a fazer durante todos estes anos, foi a pergunta e caim respondeu, Vi coisas que ainda não aconteceram, Queres dizer que adivinhaste o futuro, Não adivinhei, estive lá, Ninguém pode estar no futuro, Então não lhe chamemos futuro, chamemos-lhe outro presente, outros presentes, Não percebo, Também a mim ao princípio me custou a compreender, mas depois vi que, se estava lá, e realmente estava, era num presente que me encontrava, o que havia sido futuro tinha deixado de o ser, o amanhã era agora, Ninguém vai acreditar em ti, Não penso dizer isto a mais ninguém, O teu mal é que não trazes contigo nenhuma prova, um objecto qualquer desse outro presente, Não foi um presente, mas vários, Dá-me um exemplo. Então caim contou a lilith o caso de um homem chamado abraão a quem o senhor ordenara que lhe sacrificasse o próprio filho, depois o de uma grande torre com a qual os homens queriam chegar ao céu e que o senhor com um sopro deitou abaixo, logo o de uma cidade em que os homens preferiam ir para a cama com outros homens e do castigo de fogo e enxofre que o senhor tinha feito cair sobre eles sem poupar as crianças, que ainda não sabiam o que iriam querer no futuro, a seguir o de um enorme ajuntamento de gente no sopé de um monte a que chamavam sinai e a fabricação de um bezerro de ouro que adoraram e por isso morreram muitos, o da cidade de madian que se atreveu a matar trinta e seis soldados de um exército denominado israelita e cuja população foi exterminada até à última criança, o de uma outra cidade, chamada jericó, cujas muralhas foram deitadas abaixo pelo clangor de trombetas feitas de cornos de carneiro e depois destruído tudo o que tinha dentro, incluindo, além dos homens e mulheres, novos e velhos, também os bois, as ovelhas e os jumentos. Foi isto o que eu vi, rematou caim, e muito mais para que não me chegam as palavras, Crês realmente que o que acabas de contar acontecerá no futuro, perguntou lilith, Ao contrário do que costuma dizer-se, o futuro já está escrito, o que nós não sabemos é ler-lhe a página, disse caim enquanto perguntava a si mesmo aonde teria ido buscar a revolucionária ideia, E que pensas do facto de teres sido escolhido para viveres essa experiência, Não sei se fui escolhido, mas algo sei, sim, algo devo ter aprendido, Quê, Que o nosso deus, o criador do céu e da terra, está rematadamente louco, Como te atreves a dizer que o senhor deus está louco, Porque só um louco sem consciência dos seus actos admitiria ser o culpado directo da morte de centenas de milhares de pessoas e comportar-se depois como se nada tivesse sucedido, salvo, afinal, que não se trate de loucura, a involuntária, a autêntica, mas de pura e simples maldade, Deus nunca poderia ser mau ou não seria deus, para mau temos o diabo, O que não pode ser bom é um deus que dá ordem a um pai para que mate e queime na fogueira o seu próprio filho só para provar a sua fé, isso nem o mais maligno dos demónios o mandaria fazer, Não te reconheço, não és o mesmo homem que dormiu antes nesta cama, disse lilith, Nem tu serias a mesma mulher se tivesses visto aquilo que eu vi, as crianças de sodoma carbonizadas pelo fogo do céu, Que sodoma era essa, perguntou lilith, A cidade onde os homens preferiam os homens às mulheres, E morreu toda a gente por causa disso, Toda, não escapou uma alma, não houve sobreviventes, Até as mulheres que esses homens desprezavam, tornou lilith a perguntar, Sim, Como sempre, às mulheres, de um lado lhes chove, do outro lhes faz vento, Seja como for, os inocentes já vêm acostumados a pagar pelos pecadores, Que estranha ideia do justo parece ter o senhor, A ideia de quem nunca deve ter tido a menor noção do que possa vir a ser uma justiça humana, E tu, tem-na, perguntou lilith, Sou apenas caim, aquele que matou o irmão e por esse crime foi julgado, Com bastante benignidade, diga-se de passagem, observou lilith, Tens razão, seria o último a negá-lo, mas a responsabilidade principal teve-a deus, esse a que chamamos senhor, Não estarias aqui se não tivesses matado abel, pensemos egoistamente que uma coisa deu para a outra, Vivi o que tinha de viver, matar o meu irmão e dormir contigo na mesma cama são tudo efeitos da mesma causa, Qual, Estarmos nas mãos de deus, ou do destino, que é o seu outro nome, E agora, que tencionas fazer, perguntou lilith, Depende, Depende de quê, Se alguma vez chego a ser dono da minha própria pessoa, se se acabar este passar de um tempo a outro sem que a minha vontade tenha sido para aí chamada, farei aquilo a que costuma chamar-se uma vida normal, como os demais, Não como toda a gente, casarás comigo, já temos o nosso filho, esta é a nossa cidade, e eu ser-te-ei fiel como a casca da árvore ao tronco a que pertence, Mas, se não for assim, se o meu fado continua, então, em qualquer lugar em que me encontre estarei sujeito a mudar de um tempo para outro, nunca estaremos certos, nem tu nem eu, do dia de amanhã, além disso, Além disso, quê, perguntou lilith, Sinto que o que me acontece deve ter um significado, um sentido qualquer, sinto que não devo parar a meio do caminho sem descobrir do que se trata, Isso significa que não ficarás, que partirás um dia destes, disse lilith, Sim, creio que assim será, se nasci para viver algo diferente, tenho de saber quê e para quê, Desfrutemos então o tempo que nos resta, vem para mim, disse lilith. Abraçaram-se aos beijos, agarrados rolaram na cama de um lado para outro, e quando caim se encontrou sobre lilith e se preparava para a penetrar, ela disse, A marca da tua testa está maior, Muito maior, perguntou caim, Não muito, Às vezes penso que ela irá crescendo, crescendo, alastrando por todo o corpo e me converterei em negro, Era o que ainda me faltava, disse lilith soltando uma gargalhada, a que imediatamente sucedeu um gemido de prazer quando ele, num só impulso, a cravou até ao fundo.

Tinham passado apenas duas semanas quando caim desapareceu. Havia ganho o hábito de fazer demorados passeios a pé pelos arredores da cidade, não porque estivesse necessitado de sol e ar livre como da outra vez, benesses naturais que efectivamente não lhe tinham faltado nos últimos dez anos, mas para escapar ao ambiente pesado do palácio, onde, além das horas passadas na cama com lilith, nada mais tinha que fazer, a não ser, sem resultados que valha a pena mencionar, trocar umas quantas frases com o desconhecido que, para ele, era enoch, o seu filho.

11

De súbito, viu-se a entrar pela porta de uma cidade onde nunca havia estado. Imediatamente pensou que não levava um cêntimo consigo nem via modo imediato de o conseguir, uma vez que ali ninguém o conhecia. Se tivesse saído para o passeio levando o jumento, o problema económico estaria resolvido, pois de um animal como aquele qualquer comprador concordaria que valia o seu peso em ouro. Perguntou a dois homens que passavam que nome era o da cidade, e um deles respondeu, Isto aqui chama-se terra de us. O tom natural, sem mostra de impaciência, animou caim a fazer outra pergunta, E onde poderei arranjar trabalho, acrescentando como quem tivesse de se justificar, É que acabei de chegar, não conheço ninguém. Os homens olharam-no de alto a baixo, não lhe encontraram pinta de mendigo ou de vagabundo, só se detiveram um nada a olhar-lhe a marca da testa, e o segundo disse, O proprietário mais rico destes sítios e de todo o oriente chama-se job, vai pedir-lhe que te dê trabalho, talvez tenhas sorte, E onde o poderei encontrar, perguntou caim, Vem connosco, nós levamos-te lá, ele tem tantos serviçais que um a mais ou a menos não lhe fará diferença, É assim tão rico, Imensamente rico, imagina o que é ser dono de sete mil ovelhas, três mil camelos, quinhentas juntas de bois e quinhentas burras, Os pobres têm muita imaginação, disse caim, pode-se até dizer que não têm outra coisa, mas confesso que a tanto não sou capaz de chegar. Fez-se um silêncio e depois um dos homens disse como por acaso, Nós já nos conhecíamos, Também tenho uma ideia vaga, disse caim a medo, Chamas-te caim e estavas em sodoma quando a cidade foi destruída, temos boa memória, Sim, é verdade, agora me lembro, Já sabes, o meu colega e eu somos anjos do senhor, E que valho eu para que dois anjos do senhor tenham querido acudir-me nesta dificuldade, Foste bom com abraão, ajudaste-o a que não nos sucedesse nada de mau em casa de lot e isso merece uma recompensa, Nem sei como lhes agradeça, Somos anjos, se nós não fizermos o bem, quem o fará, perguntou um deles. Para ganhar coragem, caim respirou fundo três vezes antes de falar, Se o vosso encargo em sodoma era destruir a cidade, qual é a missão que vos trouxe agora, Não podemos revelá-la a ninguém, avisou um, Bom, não é segredo, disse o outro, e para todos deixará de o ser quando as coisas acontecerem, além disso, este que vai aqui connosco já demonstrou ser de confiança, Assumes a responsabilidade da inconfidência, imagina que ele chega e vai a correr contar a job, O mais provável seria que não acreditasse, Bem, faz o que quiseres, lavo daí as minhas mãos. Caim parou e disse, Não vale a pena que estejam a discutir por minha causa, contem se quiserem, se não quiserem não contem, eu não obrigo nem peço. Perante este desprendimento até o anjo reticente se rendeu, Conta, disse para o outro, e logo, pondo um olhar severo em caim, ordenou, E tu, juras que não dirás a ninguém o que vais ouvir, Juro, disse caim, levantando a mão direita, Então o outro anjo começou, Aqui há dias, como acontece de vez em quando, reuniram-se todos os seres celestes perante o senhor e presente estava também satã, e deus perguntou-lhe, Donde vens agora, e satã respondeu, Fui passear e dar umas voltas pela terra, e o senhor fez-lhe outra pergunta, Não reparaste no meu servo job, não há outro como ele no mundo, é um homem bom e honesto, muito religioso e não faz nada de mal. Satã, que ouvira com um sorriso torcido, desdenhoso, perguntou ao senhor, Achas que os seus sentimentos religiosos são desinteressados, não é verdade que, tal como uma muralha, tu o proteges de todos os lados, a ele e à sua família e a tudo o que lhe pertence. Fez uma pausa e continuou, Mas experimenta tu levantar a mão contra aquilo que é seu e verás se ele não te amaldiçoa. Então o senhor disse a satã, Tudo o que lhe pertence está à tua disposição, mas nele não poderás tocar. Satã ouviu e foi-se embora, e nós aqui estamos, Para quê, perguntou, Para que satã não se exceda, para que não vá além dos limites que o senhor lhe marcou. Então caim disse, Se bem entendi, o senhor e satã fizeram uma aposta, mas job não pode saber que foi alvo de um acordo de jogadores entre deus e o diabo, Exactamente, exclamaram os anjos em coro, A mim não me parece muito limpo da parte do senhor, disse caim, se o que ouvi é verdade, job, apesar de rico, é um homem bom, honesto, e ainda por cima muito religioso, não cometeu nenhum crime, mas vai ser castigado sem motivo com a perda dos seus bens, talvez, como tantos dizem, o senhor seja justo, mas a mim não me parece, faz-me recordar sempre o que aconteceu com abraão a quem deus, para o pôr à prova, ordenou que matasse o seu filho isaac, em minha opinião, se o senhor não se fia das pessoas que crêem nele, então não vejo por que tenham essas pessoas de fiar-se do senhor, Os desígnios de deus são inescrutáveis, nem nós, anjos, podemos penetrar no seu pensamento, Estou cansado da lengalenga de que os desígnios do senhor são inescrutáveis, respondeu caim, deus deveria ser transparente e límpido como cristal em lugar desta contínua assombração, deste constante medo, enfim, deus não nos ama, Foi ele quem te deu a vida, A vida deram-ma meu pai e minha mãe, juntaram a carne à carne e eu nasci, não consta que deus estivesse presente no acto, Deus está em todo o lado, Sobretudo quando manda matar, uma só criança das que morreram feitas tições em sodoma bastaria para o condenar sem remissão, mas a justiça, para deus, é uma palavra vã, agora vai fazer sofrer job por causa de uma aposta e ninguém lhe pedirá contas, Cuidado, caim, falas de mais, o senhor está a ouvir-te e tarde ou cedo te castigará, O senhor não ouve, o senhor é surdo, por toda a parte se lhe levantam súplicas, são pobres, infelizes, desgraçados, todos a implorar o remédio que o mundo lhes negou, e o senhor vira-lhes as costas, começou por fazer uma aliança com os hebreus e agora fez um pacto com o diabo, para isto não valia a pena haver deus. Os anjos protestaram indignados, ameaçaram deixá-lo ali sem emprego, com o que o debate teológico terminou e as pazes mais ou menos ficaram feitas. Um dos anjos chegou mesmo a dizer, Creio que o senhor apreciaria discutir contigo sobre estes assuntos, Talvez algum dia, respondeu caim. Estavam à porta da casona de job, um dos anjos pediu para falar com o intendente, que não veio em pessoa, mas mandou um representante a saber o que pretendiam, Trabalho, disse o anjo, não para nós, que somos doutros sítios, mas para este nosso amigo que acaba de chegar e quer fundar uma nova vida na terra de us, Tu que sabes fazer, perguntou o delegado do intendente, Entendo um pouco de burros, fui ajudante de alveitar no exército de josué, Muito bem, é uma boa recomendação, vou mandar um escravo contigo e incorporas-te agora mesmo, só preciso que me digas como te chamas, Caim sou, E donde vieste, Das terras de nod, Nunca ouvi falar, Não és o primeiro, quem diz terras de nod, diz terras de nada. Então um dos anjos disse a caim, Estás entregue, já tens trabalho, Enquanto durar, respondeu caim com um sorriso apagado, Não penses no pior, acudiu o delegado do intendente, quem teve a sorte de entrar um dia nesta casa ficou com trabalho para toda a vida, não há melhor homem que job. Os anjos despediram-se de caim com um abraço para voltar à sua tarefa de fiscais do cumprimento das ordens do senhor, afinal, quem sabe se tudo isto não virá a ter um desenlace melhor do que aquele que parece prometido.

Infelizmente foi pior que tudo o que se poderia esperar. Munido da carta de plenos poderes que lhe havia sido concedida, satã atacou ao mesmo tempo em todas as frentes. Um dia em que os filhos e filhas de job, sete, eles, três, elas, estavam à mesa a beber vinho em casa do irmão mais velho, um mensageiro, precisamente o nosso conhecido caim, que, como sabemos, trabalhava com os asnos, veio dizer a job, Os bois lavravam e as jumentas pastavam perto deles, de repente apareceram os sabeus e roubaram tudo e passaram os criados a fio de espada, só escapei eu para te trazer a notícia. Ainda caim estava a falar quando chegou outro mensageiro e disse, O fogo de deus caiu do céu, queimou e reduziu a cinzas as ovelhas e os escravos, só escapei eu para te trazer a notícia. Ainda este não se tinha calado e outro chegou, Os caldeus, disse, divididos em três quadrilhas, lançaram-se sobre os camelos e levaram-nos depois de terem passado os criados a fio de espada, só escapei eu para te trazer a notícia. Ainda este estava a falar, e eis que entrou outro e disse, Os teus filhos e as tuas filhas estavam a comer e a beber vinho em casa do irmão mais velho, quando de repente um furacão se levantou do outro lado do deserto e abalou os quatro cantos da casa que desabou sobre eles e os matou a todos, só eu consegui escapar para te trazer a notícia. Então job levantou-se, rasgou o manto e rapou a cabeça, feito o que, prostrado por terra, disse, Saí nu do ventre da minha mãe e nu hei-de voltar ao seio da terra, o senhor mo deu, o senhor mo tirou, bendito seja o nome do senhor. O desastre desta infeliz família não irá ficar por aqui, mas, antes de prosseguir, sejam-nos permitidas umas quantas observações. A primeira para manifestar estranheza pelo facto de satã poder dispor a seu bel-prazer dos sabeus e dos caldeus para serviço dos seus interesses particulares, a segunda para expressar uma estranheza ainda maior por satã haver sido autorizado a servir-se de um fenómeno natural, como foi o caso do furacão, e, pior ainda, e isso, sim, inexplicável, por utilizar o próprio fogo de deus para queimar as ovelhas e os escravos que as guardavam. Portanto, ou satã pode muito mais do que pensávamos, ou estamos perante uma gravíssima situação de cumplicidade tácita, pelo menos tácita, entre o lado maligno e o lado benigno do mundo. O luto tinha caído como uma lousa funerária sobre as terras de us, pois os mortos haviam nascido todos na cidade, agora condenada, sabe-se lá até quando, a uma miséria geral em que o menos pobre não era certamente job. Poucos dias depois destes infaustos acontecimentos realizou-se no céu uma nova assembleia dos seres celestes e satã estava outra vez entre eles. Então o senhor disse-lhe, Donde vens tu, e satã respondeu, Venho de dar outra volta ao mundo e percorrê-lo todo, Reparaste no meu servo job, perguntou o senhor, não há ninguém como ele na terra, homem íntegro, recto, temente a deus e afastado do mal, e que persevera sempre na sua virtude, apesar de me teres incitado contra ele para que eu o atribulasse sem o merecer, e satã respondeu, Fi-lo com o teu acordo, se job o merecia ou não merecia, não era assunto meu nem a ideia de o atormentar foi minha, e continuou, Um homem é capaz de dar tudo o que tem e até a sua própria pele para poder salvar a vida, mas experimenta levantar a tua mão contra ele, faz com que sofra a doença nos seus ossos e no seu corpo e verás se ele não te amaldiçoa cara a cara. Disse o senhor, Aí o tens à tua disposição, mas com a condição de que lhe poupes a vida, Isso me basta, respondeu satã e foi dali aonde estava job a quem, em menos tempo do que leva a dizer amém, cobriu de horríveis chagas desde a planta dos pés ao alto da cabeça. Havia que ver o infeliz sentado na poeira do caminho enquanto ia raspando o pus das pernas com um caco de telha, como o último dos últimos. A mulher de job, de quem até agora não tínhamos ouvido uma palavra, nem sequer para chorar a morte dos seus dez filhos, achou que já era hora de desabafar e perguntou ao marido, Ainda continuas firme na tua rectidão, eu, se fosse a ti, se estivesse no teu lugar, amaldiçoaria a deus ainda que daí me viesse a morte, ao que job respondeu, Estás a falar como uma ignorante, se recebemos o bem da mão de deus, por que não receberíamos também o mal, esta foi a pergunta, mas a mulher respondeu irada, Para o mal estava aí satã, que o senhor nos apareça agora como seu concorrente é coisa que nunca me passaria pela cabeça, Não pode ter sido deus quem me pôs neste estado, mas satã, Com a concordância do senhor, disse ela, e acrescentou, Sempre ouvi dizer aos antigos que as manhas do diabo não prevalecem contra a vontade de deus, mas agora duvido de que as coisas sejam assim tão simples, o mais certo é que satã não seja mais que um instrumento do senhor, o encarregado de levar a cabo os trabalhos sujos que deus não pode assinar com seu nome. Então job, no cúmulo do sofrimento, talvez, sem o confessar, animado pela mulher, rompeu o dique do temor de deus que lhe selava os lábios e clamou, Pereça o dia em que nasci e a noite em que foi dito, Foi concebido um varão, converta-se esse dia em trevas, que deus lá do alto não lhe dê atenção nem a luz sobre ele resplandeça, que dele se apoderem as trevas e a obscuridade, que as nuvens o envolvam e os eclipses o apavorem, que não se mencione esse dia entre os dias do ano, nem se conte entre os meses, que seja estéril tal noite e não se faça ouvir nela nenhum grito de alegria, obscureçam-se as estrelas do teu crepúsculo, em vão espere a luz e não veja abrirem-se as pálpebras da aurora por não me ter fechado a saída do ventre de minha mãe, impedindo que eu chegasse a ver tanta miséria, e assim se foi job queixando da sua sorte, páginas e páginas de imprecações e lamentos, enquanto três amigos seus, elifaz de teman, baldad de suás e sofar de naamat, lhe iam fazendo discursos sobre a resignação em geral e o dever, para todo o crente, de acatar de cabeça baixa a vontade do senhor, fosse ela qual fosse. Caim tinha conseguido um trabalho, pouca coisa, a cuidar dos burros de um pequeno proprietário, a quem teve de repetir mil vezes, a ele e aos parentes, como havia sido aquilo do ataque dos sabeus e do roubo das jumentas. Calculava que os anjos ainda andassem por ali a recolher informações da desgraça de job para as levar ao senhor, que deveria estar impaciente, mas, contra as suas expectativas, foram eles quem lhe apareceu para o felicitarem por ter escapado à crueldade dos nómadas sabeus, Um milagre, disseram. Caim agradeceu como era seu dever, mas o privilégio não podia fazê-lo esquecer os seus agravos contra deus, que iam em aumento, Suponho que o senhor estará feliz, disse aos anjos, ganhou a aposta contra satã e, apesar de tudo quanto está a sofrer, job não o renegou, Todos sabíamos que não o faria, Também o senhor, imagino, O senhor primeiro que todos, Isso quer dizer que ele apostou porque tinha a certeza de que ia ganhar, De certo modo, sim, Portanto, tudo ficou como estava, neste momento o senhor não sabe mais de job do que aquilo que sabia antes, Assim é, Então, se é assim expliquem-me por que está job leproso, coberto de chagas purulentas, sem filhos, arruinado, O senhor arranjará maneira de o compensar, Ressuscitará os dez filhos, levantará as paredes, fará regressar os animais que não foram mortos, perguntou caim, Isso não sabemos, E que fará o senhor a satã, que tão mau uso, pelos vistos, parece ter feito da autorização que lhe foi dada, Provavelmente, nada, Como, nada, perguntou caim em tom escandalizado, mesmo que os escravos não contem para as estatísticas, há muita outra gente morta, e ouço que provavelmente o senhor não irá fazer nada, No céu as coisas sempre foram assim, não é nossa culpa, Sim, quando numa assembleia de seres celestes está presente satã, há qualquer coisa que o simples mortal não entende. A conversa ficou por ali, os anjos foram-se embora e caim começou a pensar que teria de encontrar um caminho mais digno para a sua vida, Não vou ficar aqui o resto do tempo a cuidar de burros, pensou. O propósito era merecedor de consideração e louvor, mas as alternativas eram nulas, salvo se regressasse às terras de nod e ocupasse o seu lugar no palácio e na cama de lilith. Engordaria, far--lhe-ia mais dois ou três filhos, e, agora lhe estava ocorrendo a ideia, poderia ir ver como estavam os pais, se ainda eram vivos, se estavam bem. Usaria um disfarce para que não o reconhecessem, mas essa alegria ninguém lha roubaria, Alegria, perguntou a si mesmo, para caim nunca haverá alegria, caim é o que matou o irmão, caim é o que nasceu para ver o inenarrável, caim é o que odeia deus.

Faltava-lhe, porém, um burro que o levasse. Num primeiro momento ainda pensou em deixar-se de burros e ir a pé, mas, se a passagem de um presente a outro tardasse, não teria outro remédio que andar ao acaso por aqueles desertos guiando-se pelas estrelas quando fosse noite e esperando que elas aparecessem quando fosse dia. Além disso, não teria com quem conversar. Ao contrário do que geralmente se pensa, o burro é um grande conversador, basta reparar nas diversas maneiras que tem de zurrar e resfolgar e na variedade de movimentos das orelhas, nem todas as pessoas que montam jumentos conhecem a linguagem deles, daí que aconteçam situações aparentemente inexplicáveis como postar-se o animal no meio do caminho, imóvel, e dali não sair nem que o moam à pancada. Diz-se então que o asno é teimoso como um burro quando afinal do que se trata é de um problema de comunicação, como tantas vezes sucede até entre os humanos. A ideia de ir a pé não durou portanto muito na cabeça de caim. Precisava de um burro, ainda que tivesse de o roubar, mas nós, que o vamos conhecendo cada vez melhor, sabemos que não o fará. Apesar de assassino, caim é um homem intrinsecamente honesto, os dissolutos dias vividos em contubérnio com lilith, ainda que censuráveis do ponto de vista dos preconceitos burgueses, não foram bastantes para perverter o seu inato sentido moral da existência, haja vista o corajoso enfrentamento que tem mantido com deus, embora, forçoso é dizê-lo, o senhor nem de tal se tenha apercebido até hoje, salvo se se recorda a discussão que ambos travaram diante do cadáver ainda quente de abel. Neste ir e vir de pensamentos, ocorreu a caim a salvadora ideia de comprar um dos burros ao seu cuidado, recebendo em dinheiro contado só metade do soldo e deixando a outra metade nas mãos do proprietário como pagamento por conta. Inconveniente seria a lentidão do processo de liquidação, mas caim não tinha pressa, não havia no mundo ninguém à sua espera, nem sequer lilith, por mais voltas que o seu corpo, nervoso e impaciente, lhe desse na cama. O dono dos burros, que não era má pessoa, fez as contas à sua maneira, de forma a beneficiar os interesses de caim, que nem de tal suspeitou, tanto mais que as matemáticas nunca tinham sido o seu forte. Não foram necessárias muitas semanas para que caim se visse, por fim, investido na posse do seu jumento. Podia partir quando quisesse. Na véspera da saída resolveu ir ver como estaria o seu antigo patrão, se já se lhe haviam sarado as chagas, mas teve o desgosto de o ver sentado no chão, à porta da casa, raspando as feridas das pernas com um caco de telha, tal como no dia em que a maldição lhe caiu em cima, que maldição, e das piores, foi tê-lo abandonado deus às mãos de satã. Grande nau, grande tormenta, diz o povo, e a história de job o vem demonstrando à saciedade. Discreto, como a foragido convém, caim não se aproximou para lhe desejar as melhoras da sua saúde, afinal, este patrão e este empregado nem tinham chegado a conhecer-se, é o mau que tem a divisão em classes, cada um no seu lugar, se possível onde nasceu, assim não haverá nenhuma maneira de fazer amizades entre oriundos dos diversos mundos. Montado no burro que já lhe pertencia de direito, caim voltou ao seu lugar de trabalho para preparar o equipamento de viagem. Em comparação com o jumento que havia ficado na estrebaria do palácio de lilith, aquela magnífica estampa de burro que tinha feito despertar a cobiça do alveitar em jericó, a nova montada é mais uma espécie de rocinante aposentado que um exemplar para desfiles. No entanto, mesmo a menos exigente das independências de juízo mandará reconhecer que é sólido de pernas, ainda que as tenha delgadas e algo canhestras. No conjunto, como está pensando o antigo dono que veio despedir-se à porta, caim não vai mal servido quando no dia seguinte, de manhã cedo, se fizer finalmente à estrada.

12

Não teve de andar muito para deixar o triste presente das terras de us e ver-se rodeado de verdejantes montanhas, de luxuriosos vales onde discorriam riachos da mais pura e cristalina água que olhos humanos alguma vez haviam visto e a boca saboreado. Isto, sim, poderia ter sido o jardim do éden de saudosa memória, agora que tantos anos passaram já e as más recordações, com a ajuda do tempo, mais ou menos se vieram diluindo. E, no entanto, percebia-se na deslumbrante paisagem algo de postiço, de artificial, como se se tratasse de um cenário preparado adrede para um fim impossível de descortinar a quem vem montado num vulgar jerico e sem guia michelin. Caim rodeou um penhasco que lhe vinha ocultando um bom trecho do panorama e encontrou-se à entrada de um vale menos arborizado, mas não menos atractivo que os anteriormente vistos, onde se estendia uma construção de

madeira que, pelo aspecto das partes e pela cor dos
materiais, se assemelhava muito a um barco ou, para
ser mais exacto, a uma grande arca cuja presença ali se
tornava altamente intrigante porque um barco, se
barco era, constrói-se, por princípio, à beira de água, e
uma arca, de mais a mais daquele tamanho, não é coisa
para se deixar ficar num vale, à espera não se sabe de
quê. Curioso, caim resolveu ir a fonte limpa, neste
caso as pessoas que, fosse para seu próprio uso, fosse
por encomenda de terceiros, estavam a construir o
enigmático barco ou a não menos enigmática arca.
Encaminhou o jumento em direcção ao estaleiro, ali
saudou os presentes e tentou meter conversa, Bonito
sítio, este, disse, mas a resposta, além de demorar, foi
dada da maneira mais sintética possível, um sim meramente
confirmativo, indiferente, desinteressado, sem
compromisso. Caim continuou, Quem por aqui venha
de viagem, como é o meu caso, esperará encontrar
tudo menos uma construção com a grandeza desta,
mas a insinuação intencionalmente lisonjeira caiu em
saco roto. Via-se que as oito pessoas que trabalhavam
na obra, quatro homens e quatro mulheres, não estavam
dispostas a confraternizar com o intruso e não
faziam nada para disfarçar o muro de hostilidade com
que se defendiam dos seus avanços. Caim resolveu
deixar-se de rodeios e atacou, E isto que estão a fazer,
que é, um barco, uma arca, uma casa, perguntou. O
mais velho do grupo, um homem alto, robusto como
sansão, limitou-se a dizer, Casa não é, E arca também
não, cortou caim, porque não há arca sem tampa, e a

tampa desta, se existisse, não haveria força humana que a conseguisse levantar. O homem não respondeu e fez menção de se retirar, mas caim reteve-o no último instante, Se não é casa nem arca, então só pode ser barco, disse, Não respondas, noé, disse a mais velha das mulheres, o senhor irá ficar enfadado contigo se falares mais do que a conta. O homem assentiu com um movimento de cabeça e disse para caim, Temos muito que fazer e a tua conversa distrai-nos do trabalho, peço-te que nos deixes e continues o teu caminho, e rematou em tom levemente ameaçador, Como poderás ver com os teus próprios olhos, somos aqui quatro homens fortes, eu e os meus filhos, Muito bem, respondeu caim, vejo que as antigas regras da hospitalidade mesopotâmica, desde sempre respeitadas nas nossas terras, perderam todo o valor para a família de noé. Naquele exacto momento, em meio de um trovão ensurdecedor e dos correspondentes relâmpagos pirotécnicos, o senhor manifestou-se. Vinha em fato de trabalho, sem os luxos vestimentários com que reduzia à obediência imediata aqueles a quem pretendia impressionar sem ter de recorrer à dialéctica divina. A família de noé e o próprio patriarca prostraram-se acto contínuo no chão coberto de aparas de madeira, enquanto o senhor olhava surpreendido a caim e lhe perguntava, Que fazes por aqui, nunca mais te vi desde o dia em que mataste o teu irmão, Enganas-te, senhor, vimo-nos, embora não me tenhas reconhecido, em casa de abraão, nas azinheiras de mambré, quando ias destruir sodoma, Foi um bom trabalho, esse, limpo e eficaz, sobretudo definitivo, Não há nada definitivo no mundo que criaste, job julgava estar a salvo de todas as desgraças, mas a tua aposta com satã reduziu-o à miséria e o seu corpo é uma pegada chaga, assim o vi quando saí das terras de us, Já não, caim, já não, a pele dele sarou completamente e os rebanhos que tinha duplicaram, agora tem catorze mil ovelhas, seis mil camelos, mil juntas de bois e mil jumentos, E como os conseguiu ele, Dobrou-se à minha autoridade, reconheceu que o meu poder é absoluto, ilimitado, que não tenho que dar contas senão a mim mesmo nem deter-me por considerações de ordem pessoal e que, isto digo-to agora, sou dotado de uma consciência tão flexível que sempre a encontro de acordo com o que quer que faça, E os filhos que job tinha e morreram debaixo dos escombros da casa, Um pormenor a que não há que dar demasiada importância, terá outros dez filhos, sete varões e três fêmeas como antes, para substituir os que perdeu, Da mesma maneira que os rebanhos, Sim, da mesma maneira que os rebanhos, os filhos não são mais que isso, rebanhos. Noé e a família já se tinham levantado do chão e assistiam com assombro ao diálogo do senhor e de caim, que mais parecia de dois velhos amigos que tivessem acabado de reencontrar-se depois de uma longa separação. Não me disseste que vieste aqui fazer, disse deus, Nada de especial, senhor, aliás não vim, encontrei-me cá, Da mesma maneira que te encontraste em sodoma ou nas terras de us, E também no monte sinai, e em jericó, e na torre de babel, e nas terras de nod, e no sacrifício de isaac,

Tens viajado muito, pelos vistos, Assim é, senhor, mas não que fosse por minha vontade, pergunto-me até se estas constantes mudanças que me têm levado de um presente a outro, ora no passado, ora no futuro, não serão também obra tua, Não, nada tenho que ver com isso, são habilidades primárias que me escapam, truques para épater le bourgeois, para mim o tempo não existe, Admites então que haja no universo uma outra força, diferente e mais poderosa que a tua, É possível, não tenho por hábito discutir transcendências ociosas, mas uma coisa ficas sabendo, não poderás sair deste vale, nem te aconselho que o tentes, a partir de agora as saídas estarão guardadas, em cada uma delas haverá dois querubins com espadas de fogo e com ordem de matar quem quer que se aproxime, Como aquele que puseste à porta do jardim do éden, Como o soubeste, Os meus pais falavam muito dele. Deus virou-se para noé e perguntou, Contaste a este homem para que vai servir a barca, Não, meu senhor, que a língua me caia da boca se minto, tenho a minha família como testemunha, És um servo leal, fiz bem em escolher-te, Obrigado, senhor, e, se me permitis a pergunta, que faço agora com este homem, Leva-o na barca e junta-o à família, terás mais um homem para fazer filhos nas tuas noras, espero que os maridos delas não se importem, Prometo que não se vão importar, eu próprio tratarei de cumprir com a minha parte, estarei velho, mas não tanto que vire a cara a um bom pedaço de mulher. Caim decidiu intervir, Pode-se saber de que estão a falar, perguntou, e o senhor respondeu como se repetisse um discurso já feito antes e decorado, A terra está completamente corrompida e cheia de violências, só encontro nela corrupção, pois todos os seus habitantes seguiram caminhos errados, a maldade dos homens é grande, todos os seus pensamentos e desejos pendem sempre e unicamente para o mal, arrependo-me de ter criado o homem, pois que por causa dele o meu coração tem sofrido amargamente, o fim de todos os homens chegou perante mim, porquanto eles encheram a terra de iniquidades, vou exterminá-los, assim como à terra, a ti, noé, escolhi-te para iniciares a nova humanidade, e assim mandei que construísses uma arca de madeiras resinosas, que a dividisses em compartimentos e a calafetasses com betume por dentro e por fora, ordenei-te que o comprimento dela fosse de trezentos côvados, e eles aí estão, que a largura fosse de cinquenta côvados e a altura de trinta, que no alto fizesses uma clarabóia a um côvado do cimo, que colocasses a porta da arca a um lado e construísses nela um andar inferior, um segundo e um terceiro andares, pois vou lançar um dilúvio de água que, ao inundar tudo, eliminará debaixo do céu todos os seres vivos que existem no mundo, tudo quanto há na terra vai morrer, mas contigo, noé, fiz um pacto de aliança, no momento próprio entrarás na arca com os teus filhos, a tua mulher e as mulheres dos teus filhos, e de todas as espécies de seres vivos levarás para a arca dois exemplares, macho e fêmea, para poderem viver juntamente contigo, portanto, de cada espécie diferente de seres vivos, sejam aves, quadrúpedes ou outros animais, irão dois exemplares contigo, deves também apanhar e armazenar os diferentes tipos de comida que cada espécie costuma comer, como provisões para ti e para todos os animais. Este foi o discurso do senhor. Então caim disse, Com estas dimensões e a carga que irá levar dentro, a arca não poderá flutuar, quando o vale começar a ser inundado não haverá impulso de água capaz de a levantar do chão, o resultado será afogarem-se todos os que lá estiverem e a esperada salvação transformar-se-á em ratoeira, Os meus cálculos não me dizem isso, emendou o senhor, Os teus cálculos estão errados, um barco deve ser construído junto à água, não num vale rodeado de montanhas, a uma distância enorme do mar, quando está terminado empurra-se para a água e é o próprio mar, ou o rio, se for esse o caso, que se encarregam de o levantar, talvez não saibas que os barcos flutuam porque todo o corpo submergido num fluido experimenta um impulso vertical e para cima igual ao peso do volume do fluido desalojado, é o princípio de arquimedes, Permite, senhor, que eu expresse o meu pensamento, disse noé, Fala, disse deus, manifestamente contrariado, Caim tem razão, senhor, se ficarmos aqui à espera de que a água nos levante acabaremos por morrer todos afogados e não poderá haver outra humanidade. Enrugando a testa para pensar melhor, o senhor deu umas quantas voltas ao assunto e acabou por chegar à mesma conclusão, tanto trabalho para inventar um vale que nunca existira antes, e afinal para nada. Então disse, O caso tem bom remédio, quando a arca estiver pronta mandarei os meus anjos operários para a levarem pelos ares para a costa do mar mais próxima, É muito peso, senhor, os anjos não vão poder, disse noé, Não sabes a força que têm os anjos, com um só dedo levantariam uma montanha, o que me vale é serem tão disciplinados, não fosse isso e já teriam organizado um complô para me deporem, Como satã, disse caim, Sim, como satã, mas a este já lhe encontrei a maneira de o trazer contente, de vez em quando deixo-lhe uma vítima nas mãos para que se entretenha, e isso lhe basta, Tal como fizeste a job, que não ousou amaldiçoar-te, mas que leva no coração toda a amargura do mundo, Que sabes tu do coração de job, Nada, mas sei tudo do meu e alguma coisa do teu, respondeu caim, Não creio, os deuses são como poços sem fundo, se te debruçares neles nem mesmo a tua imagem conseguirás ver, Com o tempo todos os poços acabam por secar, a tua hora também há-de chegar. O senhor não respondeu, mas olhou fixamente caim e disse, O teu sinal na testa está maior, parece um sol negro a levantar-se do horizonte dos olhos, Bravo, exclamou caim batendo palmas, não sabia que fosses dado à poesia, É o que eu digo, não sabes nada de mim. Com esta magoada declaração deus afastou-se e, mais discretamente que à chegada, sumiu-se noutra dimensão.

 Picado por um debate em que, na opinião de qualquer observador imparcial, não tinha feito a melhor das figuras, o senhor resolveu mudar de planos. Acabar com a humanidade não era o que se poderia chamar uma tarefa urgente, a obrigada extinção do bicho-

-homem poderia esperar dois ou três ou mesmo dez séculos, mas, uma vez que havia tomado a decisão, deus andava a sentir uma espécie de comichão na ponta dos dedos que era sinal de impaciência grave. Decidiu portanto mobilizar a sua legião de anjos operários com efeito imediato, ou seja, em vez de os utilizar somente para levar a arca ao mar como ficara previsto, mandou-os ajudar a exausta família de noé que, como se pôde observar, já andava mais morta que viva naquele tráfego. Poucos dias depois apareceram os anjos, formados a três de fundo, e puseram imediatamente mãos à obra. O senhor não havia exagerado quando disse que os anjos tinham muita força, bastava ver aqui a naturalidade com que metiam as grossas tábuas debaixo do braço, como se fosse o jornal da tarde, e as levavam, sendo preciso, de uma ponta à outra da arca, trezentos côvados ou, em medida moderna, cento e cinquenta metros, praticamente um porta-aviões. O mais surpreendente, porém, era a maneira como introduziam os pregos na madeira. Não usavam martelo, punham o prego em posição vertical, de ponta para baixo, e, com o punho fechado, davam-lhe uma pancada seca na cabeça, com o que a peça metálica penetrava sem qualquer resistência, como se, em vez de entrar naquele duríssimo carvalho, se tratasse de manteiga no verão. Mais assombroso ainda era ver como aplainavam uma tábua, assentavam a palma da mão em cima dela e moviam-na para diante e para atrás, sem produzir uma única apara ou o menor vestígio de serradura, a tábua ia diminuindo simplesmente de espessura até chegar à medida justa. E em caso de ter de abrir um furo para introduzir uma cavilha, o simples dedo indicador bastava-lhes. Era um espectáculo vê-los trabalhar assim. Não é de admirar, portanto, que a obra tivesse avançado com uma celeridade antes inimaginável, não havia nem tempo para apreciar as mudanças. Durante este período, o senhor só apareceu uma vez. Perguntou a noé se tudo estava a correr bem, interessou-se por saber se caim ia ajudando a família, e era certo que sim, senhor, ajudava, a prova é que já havia dormido com duas das noras e se preparava para dormir com a terceira. O senhor perguntou também a noé como andava isso de juntar os animais que iriam na arca, e o patriarca disse que uma boa parte deles já havia sido recolhida e que, tão cedo a obra da arca terminasse, reuniriam os que ainda faltavam. Não era verdade, era, tão-só, uma pequena parte da verdade. Havia realmente uns quantos animais, dos mais comuns, numa cerca instalada no outro extremo do vale, pouquíssimos se compararmos com o plano de recolha estabelecido pelo senhor, isto é, todos os bichos viventes, desde o pançudo hipopótamo à mais insignificante pulga, sem esquecer o que houvesse daí para baixo, incluindo os microorganismos, que também são gente. Gente, neste amplo e generoso sentido, são igualmente alguns animais de que muito se fala em certos círculos estritos que cultivam o esoterismo, mas que nunca ninguém se pôde gabar de ter visto. Referimo-nos, por exemplo, ao unicórnio, à ave fénix, ao hipogrifo, ao centauro, ao minotauro, ao basilisco, à quimera, a toda essa bicharada desconforme e compósita que não tem mais que uma justificação para existir, a de ter sido produzida por deus em hora de extravagância, do mesmo modo que o jerico ordinário, dos tantos que enxameiam estas terras. Imagina-se o orgulho, o prestígio, o crédito que noé ganharia aos olhos do senhor se conseguisse convencer um destes animais a entrar na arca, de preferência o unicórnio, supondo que o consiga encontrar alguma vez. O problema do unicórnio é que não se lhe conhece fêmea, portanto não há maneira de que possa vir a reproduzir-se pelas vias normais da fecundação e da gestação, ainda que, pensando melhor, talvez não o necessite, afinal, a continuidade biológica não é tudo, já basta que a mente humana crie e recrie aquilo em que obscuramente acredita. Para todas as tarefas que ainda falta executar, como sejam a recolha completa dos animais e o abastecimento de comestíveis, noé espera contar com a competente colaboração dos anjos operários, os quais, honra lhes seja feita, continuam a trabalhar com um entusiasmo digno de todos os encómios. Uns com os outros, não mostram qualquer relutância em reconhecer que a vida no céu é a coisa mais aborrecida que alguma vez se inventou, sempre o coro dos anjos a proclamar aos quatro ventos a grandeza do senhor, a generosidade do senhor, inclusive, a beleza do senhor. Já é tempo de que estes e os outros anjos comecem a experimentar as simples alegrias da gente comum, nem sempre há-de ser preciso, para maior exaltação do espírito, pôr fogo a sodoma ou soprar em trombetas para deitar abaixo as muralhas de jericó. Pelo menos neste caso, do ponto de vista particular dos anjos operários, a felicidade na terra era em tudo superior à que se podia ter no céu, mas o senhor, claro está, sendo tão invejoso como é, não o deveria saber, sob pena de exercer sobre os pensamentos sediciosos as mais duras represálias sem olhar a patentes angélicas. Graças à boa harmonia reinante entre o pessoal que andava a trabalhar na obra da arca é que caim pôde conseguir que o seu burro, quando chegar a altura, seja metido lá dentro pela porta do cavalo, quer dizer, como passageiro clandestino, escapando ao afogamento geral. Foi também graças a essa cordial relação que logrou partilhar de certas dúvidas e perplexidades dos anjos. A dois deles, com quem havia estabelecido laços que no plano humano seriam facilmente classificados como de camaradagem e amizade, perguntou caim se realmente pensavam que, exterminada esta humanidade, aquela que lhe suceder não virá a cair nos mesmos erros, nas mesmas tentações, nos mesmos desvarios e crimes, e eles responderam, Nós somos apenas anjos, pouco sabemos dessa charada indecifrável a que vocês chamam natureza humana, mas, falando com franqueza, não vemos como irá resultar satisfatória a segunda experiência quando a primeira acabou no estendal de misérias que temos diante dos olhos, em nossa sincera opinião de anjos, para resumir, e considerando as provas dadas, os seres humanos não merecem a vida, Em verdade, vocês acham que os homens não merecem viver, perguntou caim, alvoroçado, Não foi isso que dissemos, o que dissemos, e repetimos, é que os seres humanos, à vista da maneira como se têm comportado ao longo dos tempos conhecidos, não merecem a vida com tudo aquilo que, apesar dos seus lados negros, que são muitos, ela tem de belo, de grande, de maravilhoso, respondeu um dos anjos, Portanto, dizer uma coisa não é dizer a outra, acrescentou o segundo anjo, Se não é o mesmo, é quase, insistiu caim, Será, mas a diferença está nesse quase, e ela é enorme, Que eu saiba, nós nunca nos perguntámos aqui se merecíamos ou não a vida, disse caim, Se o tivessem pensado, talvez não se encontrassem na iminência de desaparecer da face da terra, Não vale a pena chorar, não se irá perder muito, respondeu caim dando voz ao seu sombrio pessimismo nascido e formado em sucessivas viagens aos horrores do passado e do futuro, se as crianças que em sodoma morreram queimadas não tivessem nascido, não teriam tido que soltar aqueles gritos que eu ouvi enquanto o fogo e o enxofre iam caindo do céu sobre as suas cabeças inocentes, A culpa tiveram-na os pais, disse um dos anjos, Não era razão para que os filhos tivessem de padecer por ela, O erro é crer que a culpa terá de ser entendida da mesma maneira por deus e pelos homens, disse um dos anjos, No caso de sodoma alguém a teve, e esse foi um deus absurdamente apressado que não quis perder tempo a apartar para o castigo somente aqueles que, segundo os seus critérios, andavam a praticar o mal, além disso, anjos, onde é que nasceu essa peregrina ideia de que deus, só por ser deus, deva governar a vida íntima dos seus crentes, estabelecendo regras, proibições, interditos e outras patranhas do mesmo calibre, perguntou caim, Isso não sabemos, disse um dos anjos, Destas coisas, o que nos dizem é quase nada, a bem dizer só servimos para os trabalhos pesados, acrescentou o outro em tom de queixa, quando for a altura de levantar a barca e levá-la para o mar, podes apostar já que não verás por aqui nem serafins, nem querubins, nem tronos, nem arcanjos, Não me admira, começou caim a dizer, mas a frase ficou-lhe no ar, suspensa, enquanto uma espécie de vento lhe açoitava os ouvidos e de repente se encontrou no interior de uma tenda. Havia um homem deitado, nu, e esse homem era noé a quem a embriaguez submergira no mais profundo dos sonos. Havia outro homem que com ele estava a ter trato carnal e esse homem era cam, o seu filho mais novo, pai, por sua vez, de canaã. Cam viu pois nu o seu próprio pai, maneira elíptica esta, mais ou menos discreta, de descrever o que de inconveniente e reprovável ali se estava a passar. O pior, porém, foi ter ido depois o filho faltoso contar tudo aos irmãos, sem e jafet, que estavam fora da tenda, mas estes, compassivos, pegaram num manto e, levantando-o, aproximaram-se de costas viradas para o pai, de modo a não o verem nu. Quando noé acordar e perceber o insulto que lhe havia sido feito por cam, dirá, fazendo cair sobre o filho dele a maldição que ferirá todo o povo cananeu, Maldito seja canaã, ele será o último dos escravos dos seus irmãos, abençoado seja sem pelo senhor meu deus, que canaã seja seu escravo, que deus faça crescer jafet, que os seus descendentes habitem com os de sem e que canaã lhes sirva de escravo. Caim já ali não estará, o mesmo rápido sopro de vento o trouxe à porta da arca no preciso momento em que se vinham acercando noé e o seu filho cam com as últimas notícias, Partimos amanhã, disseram, os animais já estão todos na arca, os comestíveis armazenados, podemos levantar ferro.

13

Deus não veio ao bota-fora. Estava ocupado com a revisão do sistema hidráulico do planeta, verificando o estado das válvulas, apertando alguma porca mal ajustada que gotejava onde não devia, provando as diversas redes locais de distribuição, vigiando a pressão dos manómetros, além de uma infinidade de outras grandes e pequenas tarefas, cada uma delas mais importante que a anterior e que ele só, como criador, engenheiro e administrador dos mecanismos universais, estava em condições de levar a bom termo e confirmar com o seu sagrado o.k. A festa, para os outros, para ele, o labor. Em horas assim sentia-se menos como um deus que como contramestre dos anjos operários, os quais, neste preciso e exacto momento, cento e cinquenta a estibordo da arca, cento e cinquenta a bombordo, com os seus alvinitentes fatos de trabalho, esperavam a ordem de alçar a enorme embarcação, não diremos a uma só voz porque nenhuma se ouviria, pois toda esta operação é obra da mente, mas como se o pensasse um só homem com o seu único cérebro e a sua única vontade. Num instante a arca estava no chão, no instante seguinte subira à altura dos braços levantados dos anjos operários como num exercício ginástico de pesos e halteres. Entusiasmados, noé e a família debruçaram-se à janela para melhor apreciarem o espectáculo, com risco de algum deles cair dali abaixo, como pensou caim. Um novo impulso e a arca encontrou-se numa região superior do ar. Foi então que noé deu um grito, O unicórnio, o unicórnio. Efectivamente, galopando ao longo da arca, corria aquele animal sem par na zoologia, com o seu corno espiralado, todo ele de uma brancura deslumbrante, como se fosse um anjo, esse cavalo fabuloso de cuja existência tantos haviam duvidado, e enfim ali estava, quase ao alcance da mão, bastaria fazer descer a arca, abrir-lhe a porta e atraí-lo com um torrão de açúcar que é o mimo que a espécie equina mais aprecia, é quase a sua perdição. De repente, o unicórnio, assim como apareceu, desapareceu. Os gritos de noé, Desçam, desçam, foram inúteis. A manobra de descida teria sido logisticamente complicada, e para quê se ele já tinha levado sumiço, sabe-se lá por onde andará neste momento. Entretanto, a uma velocidade muito maior que a do zeppelin hindenburg, a arca sulcava os ares em direcção ao mar, onde finalmente pousou com fundo suficiente dando origem a uma vaga enorme, um autêntico tsunami, que chegou às praias, destroçando os barcos e os casebres de pescadores, afogando uns quantos, arruinando as artes da pesca, como um aviso do que haveria de vir. Mas o senhor não mudou de opinião, os seus cálculos podiam estar errados, mas, como a prova real não havia sido tirada, ainda lhe ficava o benefício da dúvida. Dentro da arca, a família noé dava graças a deus e, para festejar o êxito da operação e exprimir o seu reconhecimento, sacrificou um cordeiro ao senhor, a quem a oferenda, como é natural, conhecidos os antecedentes, deliciou. Tinha razão, noé havia sido uma boa escolha para pai da nova humanidade, a única pessoa justa e honesta do tempo, que ele era, emendaria os erros do passado e expulsaria da terra a iniquidade. E os anjos, onde estão os anjos operários, perguntou subitamente caim. Não estavam. Satisfeita de tão perfeita e completa maneira a incumbência do senhor, os diligentes obreiros, com a simplicidade que os caracterizava e de que nos deram não poucas provas desde o primeiro dia em que nos conhecemos, tinham regressado às casernas sem esperar a distribuição das medalhas. A arca, é bom lembrá-lo, não tem leme nem vela, não trabalha a motor, não se lhe pode dar corda, e levá-la a remos seria literalmente impensável, nem mesmo as forças de todos os anjos operários disponíveis no céu seriam capazes de a fazer mover por esse meio. Vogará portanto ao sabor das correntes, deixar--se-á empurrar pelos ventos que lhe soprem o bojo, a manobra marinheira será mínima e a viagem um longo descanso, salvo as ocasiões de actividade amatória, que não serão poucas nem breves e para as quais o contributo de caim, pelo que temos podido perceber, é da ordem do exemplar. Digam-no as noras de noé que não poucas vezes têm abandonado a meio da noite a cama onde estavam jazendo com os seus maridos para irem cobrir-se, não apenas com a manta que tapa caim, mas com o seu jovem e experiente corpo.

Passados sete dias, número cabalístico por excelência, abriram-se finalmente as comportas do céu. A chuva irá cair sobre a terra, sem parar, durante quarenta dias e quarenta noites. Ao princípio pareceu não se notar a diferença do efeito das cataratas que continuamente se despenhavam do céu com um rugido ensurdecedor. Era natural, a força da gravidade encaminhava as torrentes para o mar e ali, à primeira vista, era como se sumissem nele, mas não tardou que as fontes do oceano profundo por sua vez rebentassem e a água começasse a subir à superfície em cachões e jorros do tamanho de montanhas que tanto apareciam como desapareciam, fundindo-se com a imensidade do mar. No meio desta furiosa convulsão aquática que tudo queria engolir, a barca lograva aguentar-se, balançando-se de um lado a outro como uma rolha de cortiça, aprumando-se no último instante quando o mar já parecia ir tragá-la. Ao cabo de cento e cinquenta dias, depois de que as fontes do mar profundo e as comportas do céu se tivessem fechado, a água, que havia coberto toda a terra acima das serranias mais altas, começou a baixar lentamente. Entretanto, porém, uma das noras de noé, a mulher de cam, havia morrido num acidente. Ao contrário do que deixámos antes dito ou dado a entender, havia uma grande necessidade de mão-de-obra na barca, não de marinheiros, é certo, mas de pessoal de limpeza. Centenas, para não dizer milhares de animais, muitos deles de grande porte, enchiam a abarrotar os porões e todos cagavam e mijavam que era um louvar a deus. Limpar aquilo, baldear toneladas de excrementos todos os dias era uma duríssima prova para as quatro mulheres, uma prova física em primeiro lugar, pois dali saíam exaustas as pobres, mas também sensorial, com aquele insuportável fedor a merda e urina que traspassava a própria pele. Foi num desses dias de tempestade desabalada, com a arca a ser sacudida pela tormenta e os animais a atropelarem-se uns aos outros, que a mulher de cam, tendo escorregado no chão imundo, foi acabar sob as patas de um elefante. Lançaram-na ao mar tal como se encontrava, ensanguentada, suja de excrementos, um mísero despojo humano sem honra nem dignidade. Por que não a limparam antes, perguntou caim, e noé respondeu, Vai ter muita água para se lavar. A partir deste momento e até ao final da história, caim irá odiá-lo de morte. Diz-se que não há efeito sem causa nem causa sem efeito, parecendo portanto que as relações entre uma coisa e outra deverão ser em cada momento, não só patentes, mas compreensíveis em todos os seus aspectos, quer consequentes quer subconsequentes. Não nos arriscamos a sugerir que deva ser incluída neste quadro geral a explicação da mudança de atitude da mulher de noé. Pode ela ter pensado simplesmente que, faltando a mulher de cam, outra deveria ocupar o seu lugar, não para acolitar o viúvo nas suas noites agora solitárias, mas para recuperar a harmonia antes vivida entre as fêmeas mais novas da família e o hóspede caim, ou, por palavras mais claras e directas, se antes ele tinha três mulheres à sua disposição, não havia nenhum motivo para que não continuasse a tê-las. Mal sabia ela que na cabeça do homem rondavam ideias que tornavam absolutamente secundária a questão. Em todo o caso, como uma coisa não empata a outra, caim acolheu com simpatia os avanços dela, Aqui onde me vês, apesar da idade, que já não é a da primeira juventude, e tendo parido três filhos, ainda me sinto muito apetecível, e tu que achas, caim, perguntara ela. Havia muito tempo que deixara de chover, a enorme massa de água entretinha-se agora a macerar os mortos e a empurrá-los docemente, no seu eterno balanceio, para a boca dos peixes. Caim tinha assomado à janela para ver o mar que resplandecia sob a lua, havia pensado um pouco em lilith e em seu filho enoch, ambos mortos, mas de uma maneira distraída, como se não lhe importasse muito, e foi então que ouviu sussurrar ao seu lado, Aqui onde me vês. Dali foram, ele e ela, para o cubículo onde caim costumava dormir, não esperaram sequer que noé, já entregue aos braços de morfeu, se ausentasse do mundo, e, quando acabaram, o homem teve de reconhecer que a mulher tinha razão no juízo que sobre si própria havia feito, ainda estava ali para lavar e durar, e mostrava ter, em certos momentos, uma experiência acrobática a que as outras não haviam conseguido chegar, fosse por falta de vocação natural, fosse por inibição causada pela actuação tradicional dos respectivos maridos. E, posto que estamos a falar de maridos, diga-se já que cam foi o segundo a desaparecer. Tinha subido à cobertura da arca para ajustar umas tábuas que rangiam com o balanço e o impediam de dormir, quando alguém se aproximou, Dás-me uma ajuda, perguntou, Sim, foi a resposta, e empurraram-no para o mar, uma queda da altura de quinze metros que pareceu interminável, mas logo acabou. Noé barafustou, zangou-se, disse que, depois de tanto tempo de prática de navegação, só uma imperdoável falta de atenção ao trabalho podia explicar o sucedido, Abram os olhos, exigiu, vejam onde põem os pés, e continuou, Perdemos um casal, e isso vai significar que vamos ter de copular muito mais se quisermos que a vontade do senhor se cumpra, a de que sejamos os pais e as mães da nova humanidade. Interrompeu-se por um instante e, virando-se para as duas noras que lhe restavam, perguntou, Alguma de vocês está grávida. Uma delas respondeu que sim, que estava grávida, a outra que ainda não tinha certeza, mas que talvez, E quem é o pai, Para mim, estou que é caim, disse a mulher de jafet. Para mim também, disse a mulher de sem, Parece impossível, disse noé, se aos vossos maridos lhes anda a faltar a potência genesíaca, o melhor é que vocês se deitem só com caim, tal como eu, aliás, já havia mais ou menos previsto desde o princípio, rematou. As mulheres, incluindo a do próprio noé, sorriram para dentro, elas saberiam porquê, quanto aos homens, esses não tinham gostado da repreensão pública, mas prometeram, se se lhes permitisse, ser mais diligentes no porvir. É curioso que as pessoas falem tão ligeiramente do futuro, como se o tivessem na mão, como se estivesse em seu poder afastá-lo ou aproximá-lo de acordo com as conveniências e necessidades de cada momento. Jafet, por exemplo, vê o futuro como uma sucessão de cópulas bem sucedidas, um filho por ano, gémeos umas quantas vezes, o olhar complacente do senhor sobre a sua cabeça, muitas ovelhas, muitas juntas de bois, em suma, a felicidade. Não sabe, o pobre, que o seu fim está perto, que uma rasteira o precipitará no vácuo sem colete salva-vidas, esbracejando nas agonias de um inútil desespero, aos gritos, enquanto a arca se vai distanciando majestosamente ao encontro do seu destino. A perda de mais um tripulante afligiu noé a um extremo indescritível, a desejada concretização do plano do senhor encontrava-se em grave risco, vista a situação, de ter que impor a necessidade de duplicar ou até mesmo triplicar o tempo indispensável a um razoável repovoamento da terra. Cada vez se tornava mais necessária a colaboração de caim, por isso noé, já que ele não parecia querer decidir-se, resolveu ter uma conversa de homem para homem com ele, Deixemo-nos de rodeios e de meias palavras, disse, tens de pôr imediatamente mãos à obra, a partir de hoje é quando quiseres e como quiseres, a mim estas preocupações matam-me, não posso ser de grande ajuda por enquanto, Quando quiser e como quiser, que significa isso, perguntou caim, Sim, e com quem quiseres, respondeu noé, exibindo a sua melhor cara de entendido, Incluindo a tua mulher, quis saber caim, Insisto que o faças, a mulher é minha, posso fazer com ela o que me apetecer, Tanto mais que se trata de uma boa obra, insinuou caim, Uma obra pia, uma obra do senhor, assentiu noé com a solenidade apropriada, Sendo assim, comecemos já, disse caim, manda-a ter comigo ao cubículo onde durmo e que ninguém nos venha incomodar, aconteça o que acontecer e ouça-se o que se ouvir, Assim farei, e que se cumpra a vontade do senhor, Amém. Não faltará quem pense que o malicioso caim anda a divertir-se com a situação, jogando ao gato e ao rato com os seus inocentes companheiros de navegação, aos quais, como o leitor já terá suspeitado, tem vindo a eliminar um a um. Equivocar-se-á quem assim creia. Caim debate-se com a sua raiva contra o senhor como se estivesse preso nos tentáculos de um polvo, e estas suas vítimas de agora não são mais, como já abel o tinha sido no passado, que outras tantas tentativas para matar deus. A próxima vítima será justamente a mulher de noé, que, sem o merecer, vai pagar com a vida as horas de gozo passadas nos braços do seu futuro assassino com a bênção e a conivência do próprio marido, a tal ponto havia chegado a deliquescência dos costumes desta humanidade a cujos últimos dias vimos assistindo. Depois da repetição, em todo o caso com algumas variações mais ou menos subtis, de uns quantos excessos de delírio erótico protagonizados principalmente pela mulher e expressados, como sempre, em murmúrios, gemidos e logo incontroláveis gritos, caim levou-a pela mão até à janela para tomarem o fresco da noite e dali, metendo-lhe as mãos por entre as coxas ainda frementes de prazer, a precipitou no mar. Das oito pessoas que compunham a família de noé só restavam agora, além do próprio patriarca, o seu filho sem e a mulher e a viúva de jafet. Duas mulheres ainda dão para muito, pensava noé com o seu indefectível optimismo e a sua inabalável confiança no senhor. Não deixou no entanto de mostrar a sua estranheza pelo inexplicável desaparecimento da esposa e manifestou-a a caim, Ela estava em tudo ao teu cuidado, não compreendo como pode ter sucedido esta desgraça, ao que caim respondeu perguntando, E era eu o guarda-costas da tua mulher, levava-a eu atada a mim pelo tornozelo com um baraço como se fosse uma ovelha, Não digo isso, encolheu-se noé, mas ela dormia contigo, podias ter-te apercebido de algo, Tenho o sono pesado. A conversa não foi mais longe, em verdade, caim não podia ser responsabilizado pelo facto de a mulher se ter levantado para ir urinar fora, à brisa nocturna, e ali sofrer, por exemplo, uma tontura, para depois rolar por um desaguadouro e desaparecer nas águas. Coisas da fatalidade. O nível do imenso mar que cobria a terra continuava a descer, mas nenhum cume de montanha havia levantado a cabeça para dizer, Aqui estou, o meu nome é ararat e estou na turquia. Fosse como fosse, porém, a grande viagem aproximava-se do fim, era tempo de começar a preparar a conclusão, o desembarque ou o que tiver de suceder. Sem e a mulher caíram ao mar no mesmo dia em circunstâncias que ficarão por explicar, o mesmo tendo acontecido à viúva de jafet, que ainda na véspera tinha dormido na cama de caim. E agora, clamava noé arrepelando o cabelo no mais absoluto desespero, tudo está perdido, sem mulheres que fecundem não haverá vida nem humanidade, melhor teria sido contentarnos com a que tínhamos, que já a conhecíamos, e insistia, perdido de desgosto, Com que cara irei eu comparecer diante do senhor com este barco cheio de animais, que hei-de eu fazer, como viverei o resto da minha vida, Deita-te daqui abaixo, disse caim, nenhum anjo virá colher-te nos seus braços. Algo soou na voz com que o disse que fez acordar noé para a realidade, Foste tu, disse, Sim, fui eu, respondeu caim, mas em ti não te tocarei, morrerás pelas tuas próprias mãos, E deus, que dirá deus, perguntou noé, Vai tranquilo, de deus encarrego-me eu. Noé deu a meia dúzia de passos que o separavam da borda e, sem uma palavra, deixou-se cair.

No dia seguinte a barca tocou terra. Então ouviu-se a voz de deus, Noé, noé, sai da arca com a tua mulher e os teus filhos e as mulheres dos teus filhos, retira também da arca os animais de toda a espécie que estão contigo, as aves, os quadrúpedes, os répteis todos que rastejam pela terra, a fim de que se espalhem pelo mundo e por toda a parte se multipliquem. Houve um silêncio, depois a porta da arca abriu-se lentamente e os animais começaram a sair. Saíam, saíam, e não acabavam de sair, uns grandes, como o elefante e o hipopótamo, outros, pequenos, como a lagartixa e o gafanhoto, outros de tamanho médio, como a cabra e a ovelha. Quando as tartarugas, que tinham sido as últimas, se afastavam, lentas e compenetradas como lhes está na natureza, deus chamou, Noé, noé, por que não sais. Vindo do escuro interior da arca, caim apareceu no limiar da grande porta, Onde estão noé e os seus, perguntou o senhor, Por aí, mortos, respondeu caim, Mortos, como, mortos, porquê, Menos noé, que se afogou por sua livre vontade, aos outros matei-os eu, Como te atreveste, assassino, a contrariar o meu projecto, é assim que me agradeces ter-te poupado a vida quando mataste abel, perguntou o senhor, Teria de chegar o dia em que alguém te colocaria perante a tua verdadeira face, Então a nova humanidade que eu tinha anunciado, Houve uma, não haverá outra e ninguém dará pela falta, Caim és, e malvado, infame matador do teu próprio irmão, Não tão malvado e infame como tu, lembra-te das crianças de sodoma. Houve um grande silêncio. Depois caim disse, Agora já podes matar-me, Não posso, palavra de deus não volta atrás, morrerás da tua natural morte na terra abandonada e as aves de rapina virão devorar-te a carne, Sim, depois de tu primeiro me haveres devorado o espírito. A resposta de deus não chegou a ser ouvida, também a fala seguinte de caim se perdeu, o mais natural é que tenham argumentado um contra o outro uma vez e muitas, a única coisa que se sabe de ciência certa é que continuaram a discutir e que a discutir estão ainda. A história acabou, não haverá nada mais que contar.

1ª EDIÇÃO [2009] 10 reimpressões
2ª EDIÇÃO [2017] 9 reimpressões

ESTA OBRA FOI COMPOSTA PELA SPRESS EM TIMES E IMPRESSA
EM OFSETE PELA GEOGRÁFICA SOBRE PAPEL PÓLEN DA SUZANO S.A.
PARA A EDITORA SCHWARCZ EM FEVEREIRO DE 2025

FSC
www.fsc.org
MISTO
Papel | Apoiando
o manejo florestal
responsável
FSC® C019498

A marca FSC® é a garantia de que a madeira utilizada na fabricação do papel deste livro provém de florestas que foram gerenciadas de maneira ambientalmente correta, socialmente justa e economicamente viável, além de outras fontes de origem controlada.